Le bon mot

Données de catalogage avant publication (Canada)

Laurin, Jacques
   Le bon mot : déjouer les pièges du français

   1. Français (Langue) - Emprunts anglais - Dictionnaires.   2. Français (Langue) -
   Fautes - Dictionnaires.   3. Français (Langue) - Usage - Dictionnaires.   I. Titre.

PC2582.E5L38   2001   442'.421'03   C2001-940997-4

DISTRIBUTEURS EXCLUSIFS :

• Pour le Canada
  et les États-Unis :
  MESSAGERIES ADP*
  955, rue Amherst
  Montréal, Québec
  H2L 3K4
  Tél. : (514) 523-1182
  Télécopieur : (514) 939-0406
  * Filiale de Sogides ltée

• Pour la France et les autres pays :
  VIVENDI UNIVERSAL PUBLISHING SERVICES
  Immeuble Paryseine, 3, Allée de la Seine
  94854 Ivry Cedex
  Tél. : 01 49 59 11 89/91
  Télécopieur : 01 49 59 11 96
  Commandes : Tél. : 02 38 32 71 00
                   Télécopieur: 02 38 32 71 28

Pour en savoir davantage sur nos publications,
visitez notre site : **www.edhomme.com**
Autres sites à visiter : www.edjour.com • www.edtypo.com
www.edvlb.com • www.edhexagone.com • www.edutilis.com

• Pour la Suisse :
  VIVENDI UNIVERSAL PUBLISHING SERVICES SUISSE
  Case postale 69 - 1701 Fribourg - Suisse
  Tél. : (41-26) 460-80-60
  Télécopieur : (41-26) 460-80-68
  Internet : www.havas.ch
  Email : office@havas.ch
  DISTRIBUTION : OLF SA
  Z.I. 3, Corminbœuf
  Case postale 1061
  CH-1701 FRIBOURG
  Commandes : Tél. : (41-26) 467-53-33
                   Télécopieur : (41-26) 467-54-66

• Pour la Belgique et
  le Luxembourg :
  VIVENDI UNIVERSAL PUBLISHING SERVICES BENELUX
  Boulevard de l'Europe 117
  B-1301 Wavre
  Tél. : (010) 42-03-20
  Télécopieur: (010) 41-20-24

Dépôt légal : 3ᵉ trimestre 2001
Bibliothèque nationale du Québec

ISBN 2-7619-1614-X

L'Éditeur bénéficie du soutien de la Société de développement
des entreprises culturelles du Québec pour son programme
d'édition.

Nous remercions le Conseil des Arts du Canada de l'aide
accordée à notre programme de publication.

Nous reconnaissons l'aide financière du gouvernement du
Canada par l'entremise du Programme d'aide au développement
de l'industrie de l'édition (PADIÉ) pour nos activités d'édition.

JACQUES LAURIN

Le bon mot
Déjouer les pièges du français

LES ÉDITIONS DE
L'HOMME

INTRODUCTION

Au cours des années 70, j'ai publié une série d'ouvrages pratiques sur les difficultés de la langue française. Ces livres ont connu un grand succès, preuve que les francophones d'Amérique aiment leur langue et tiennent à l'améliorer. Toutefois, jamais rien n'est acquis. La langue évolue : un mot qui était fautif il y a vingt-cinq ans est passé dans l'usage dans l'ensemble de la francophonie, une faute courante à l'époque semble corrigée, de nouvelles confusions de sens ont fait leur apparition. Par exemple, *s'impliquer* au sens de « s'engager », « s'investir », est maintenant admis, de même que *mature*, pour parler de « quelqu'un qui fait preuve de maturité » ; on entend beaucoup moins de gens parler du *poêle* qu'ils utilisent dans leur cuisine ou de leur *char* ; mais plusieurs confondent *impayable* avec *ineffable* et *gérant* avec *imprésario*. Un phénomène subsiste néanmoins et s'accentue à l'échelle planétaire : la prédominance de l'anglais.

Dans bien des cas, la chasse à l'anglicisme semble une bataille perdue. Et quand nos cousins de France et de Belgique se mettent à puiser dans la marmite anglo-saxonne, ils n'y vont pas de main morte. Faut-il baisser les bras pour autant ? Je ne le crois pas, moi qui ai toujours promu une langue française de qualité, qui peut exprimer toutes les subtilités d'une pensée originale, fût-elle nord-américaine.

C'est pourquoi j'ai repris le flambeau et vous présente ce tout nouvel ouvrage sur les pièges de notre langue. Ils sont si nombreux ces pièges, qu'il me fallait choisir une perspective inédite. En consultant mes ouvrages, je me suis rendu compte que j'opposais souvent deux termes, pour mieux en exposer les nuances, les différences ou les emplois fautifs.

Plus que les problèmes syntaxiques ou les difficultés orthographiques, les confusions de sens m'apparaissent toujours comme l'un des problèmes majeurs de la langue que nous parlons et écrivons.

Ces confusions sont principalement le résultat de l'influence pernicieuse de l'anglais. Nous avons éliminé beaucoup d'anglicismes primaires au cours des dernières années. On entend moins de *bargain*, de *bill*, de *check*, de *flat*, de *freezer*, de *hood*, de *hose*, de *pit*, de *puck* et de *shop*, mais il y a des anglicismes sournois qui ont la vie bien plus dure. Ce sont des mots d'apparence française qui ont un sens en français, mais un autre en anglais. On les appelle « anglicismes sémantiques » ou, plus communément, « faux amis ». Il valait la peine que j'en recense le plus possible pour favoriser le bon usage.

Je ne suis pas puriste. Je sais fort bien que toute langue vivante, pour évoluer, doit importer et inventer ; elle emprunte et elle crée. C'est ainsi que, à l'usage, un mot anglais à l'origine peut devenir un mot français parfaitement acceptable, comme *stop*, *week-end* et *toast*. L'emprunt se justifie toutefois moins quand il prend la place d'un terme bien défini et même plus précis. C'est ainsi que les anglicismes appauvrissent souvent notre langue.

Par exemple, quelqu'un qui dit « rencontrer ses engagements, ses paiements, des dépenses, des exigences, des frais, une échéance, des prévisions, des conditions, des objectifs » manque singulièrement de vocabulaire. *Rencontrer* est ici un anglicisme sémantique, calque du verbe *to meet*, qui peut être remplacé par *tenir* (ses engagements), *faire* (ses paiements), *faire face à* (des dépenses), *satisfaire à* (des exigences), *respecter* (une échéance), *confirmer* (des prévisions), *souscrire à* (des conditions), *atteindre* (des objectifs). Que de verbes pour exprimer des nuances, là où l'anglais n'utilise qu'un seul mot !

Il n'y a pas que les anglicismes qui créent des confusions de sens. On rencontre aussi les paronymes, des mots qui se ressemblent mais qui n'ont pas du tout la même signification. Par exemple, *abhorrer* et *arborer*, *cahot* et *chaos*, *crash* et *krach*, *incise* et *incisive*, *rabattre* et *rebattre*. La confusion prête parfois à sourire, mais il arrive que la méprise se généralise au point qu'on n'entend plus qu'un seul terme pour les deux sens.

Il y a enfin des confusions qui viennent d'une incapacité de précision ou d'identification de certaines choses. Quand on vous montre un *portemanteau* et qu'on vous parle d'une jolie *patère*, quand on prend le *cadre* pour le *tableau*, quand on croit qu'un *chasse-neige* est une *charrue*, on fait preuve d'une déficience linguistique. La difficulté de nommer les choses est, entre autres, un signe du manque de rigueur dans la connaissance de notre langue.

Voici donc un petit dictionnaire du bon sens, du mot juste. Il contient plus d'un millier de mots qui prêtent à confusion et qui ont tous un sens en français. Chaque entrée présente deux mots, ce qui met davantage en lumière le risque de confusion. Le mot qui est employé le plus souvent à mauvais escient – c'est le cas des anglicismes sémantiques – précède toujours le second terme, même si celui-ci le devance dans l'ordre alphabétique. Quand il s'agit d'une simple confusion entre deux mots, par exemple des paronymes, le premier est celui qui précède l'autre dans l'ordre alphabétique.

Je signale les principaux pièges à l'aide des symboles suivants, inspirés du code de signalisation routière :

⊜ = anglicisme

◈ = impropriété

◈ = paronyme

À l'index général, j'ai cru bon ajouter un index des anglicismes, car ils sont nombreux et constituent sûrement le piège le plus inquiétant parmi les maux de notre langue.

J'ai évidemment revisité certains de mes ouvrages précédents, dont :

Améliorez votre français, Les Éditions de l'Homme, 1970, 201 p.
Les verbes, Les Éditions de l'Homme, 1971, 207 p.
Corrigeons nos anglicismes, Les Éditions de l'Homme, 1975, 203 p.
Notre français et ses pièges, Les Éditions de l'Homme, 1978, 217 p.
L'orthographe en un clin d'œil, Les Éditions de l'Homme, 1990, 288 p.
Ma Grammaire, avec Roland Jacob, Les Éditions françaises, 1994,
     434 p. Réédition, Les Éditions de l'Homme, 1998.

J'ai cependant dû vérifier toutes les définitions des termes qui composent les 500 entrées de ce volume. Comme pour mes ouvrages précédents, *Le Petit Larousse illustré* et *Le Petit Robert* m'ont été d'une grande utilité.

Un autre dictionnaire s'est révélé très précieux, qui n'existait pas dans les années 70 : le *Multidictionnaire de la langue française* (Québec/Amérique, 1997), de Marie-Éva De Villers, à qui je rends hommage. Ce dictionnaire aux multiples usages a notamment le mérite de présenter des définitions claires et concises, bien adaptées au contexte québécois, et de signaler avec pertinence les anglicismes, les impropriétés, les barbarismes et autres confusions de sens.

Parmi mes autres sources, je m'en voudrais de ne pas signaler le *Dictionnaire des anglicismes* du regretté Gilles Colpron, qui a fait l'objet de rééditions en 1994 et 1999 (Beauchemin), ainsi que le *Nouveau dictionnaire des difficultés du français moderne,* du Belge Joseph Hanse (Duculot, 1987).

J'aimerais remercier Denis Poulet et Roland Jacob, qui m'ont beaucoup aidé à mener à bon terme le manuscrit. Je tiens à souligner la collaboration de Noëlle Guilloton et Pascale Lefrançois, deux complices de la *Dictée des Amériques,* qui ont eu l'amabilité de lire attentivement les dernières épreuves. Je remercie également mon éditeur, Pierre Bourdon, qui a su m'encourager à poursuivre ce travail. Son appui constant m'a apporté le plaisir indispensable à tout projet d'édition.

Il y a trente ans, Pierre Lespérance me demandait d'écrire
mon premier livre. Aujourd'hui, je suis heureux,
avec toute ma reconnaissance et mon amitié,
de lui offrir ma neuvième publication.

A

ABATTRE — BLESSER

Abattre signifie tuer avec une arme à feu.

▶ Le policier a abattu le dangereux bandit.

On lit souvent dans le journal : « Le policier a abattu le voleur. Celui-ci repose dans un état grave à l'hôpital. »

Le voleur ne peut être blessé et abattu à la fois. Mais on peut être blessé mortellement, à mort.

Il aurait fallu lire dans le journal :

▶ Le policier a blessé le voleur avec une arme à feu ; celui-ci repose dans un état grave à l'hôpital.

ABHORRER — ARBORER

Abhorrer signifie avoir en horreur, détester au plus haut point. Attention à l'orthographe !

▶ J'admire son génie, mais j'abhorre son arrogance.

Arborer signifie dresser, élever droit comme un arbre, ou encore montrer, faire étalage.

▶ Il arborait fièrement son étendard.

Elle arbore une nouvelle toilette.

ABREUVOIR — FONTAINE

Un abreuvoir est un lieu ou une installation où boivent les animaux.
▸ Soir et matin, les vaches vont à l'abreuvoir.

Quand les gens ont soif, ils vont plutôt boire à la fontaine. Notez qu'on ne s'abreuve pas à une fontaine, on y boit.
▸ On trouve une fontaine dans le parc (et non un abreuvoir), il y en a une à l'école également.

ABUSER — VIOLER

Abuser, sans complément, c'est exagérer, dépasser la mesure. Avec un complément direct, abuser signifie tromper. Avec la préposition de, abuser signifie faire un usage excessif de.
▸ Pour mener une vie saine, il ne faut pas abuser.
  Mon déguisement vous a abusé ; vous ne m'avez pas reconnu.
  Abuser du tabac cause des problèmes de santé.

Abuser de signifie aussi commettre une agression sexuelle sur une personne, la violer. On ne peut en ce sens utiliser abuser avec un complément direct (abuser quelqu'un). Abusé, employé comme adjectif, est également incorrect.
▸ Abuser d'un enfant (et non abuser un enfant) est un acte criminel révoltant.
  Les gens qui ont abusé de leurs propres enfants (et non abusé leurs propres enfants) ont été eux-mêmes des enfants victimes d'agressions, des enfants maltraités (et non des enfants abusés).

Abus sexuel est admis au sens de viol, agression sexuelle, mais son emploi est critiqué. Quant au mot abuseur pour désigner un violeur, un agresseur, il n'existe tout simplement pas.

ACADÉMIQUE — SCOLAIRE

Académique est un adjectif qui se rapporte à une académie, particulièrement à l'Académie française. Il signifie aussi conventionnel.

▸ Un discours académique.
   Un style académique.

Sous l'influence de l'anglais, on emploie académique au lieu de scolaire, ou encore pédagogique.

▸ L'année scolaire (et non académique).
   La formation scolaire ou universitaire (et non académique).
   Le programme pédagogique (et non académique).

ACCEPTATION — ACCEPTION

Acceptation désigne le fait d'accepter ou l'acte par lequel on accepte.

▸ L'acceptation des usages aide à vivre en société.

Pour désigner le sens d'un mot, c'est le terme acception qu'il faut employer.

▸ Ce mot comporte plusieurs acceptions.

ACCÈS — EXCÈS

Accès signifie entrée ou poussée, crise.

▸ L'accès de cette cour est interdit.
   Il a été victime d'un accès de fièvre (et non d'un excès de fièvre).

Excès signifie trop grande quantité, dépassement des limites.

▸ Un excès de vitesse.
   Un excès de zèle.

ACCOMMODATION — HÉBERGEMENT

Accommodation signifie adaptation, mais ne s'emploie que rarement ; on parle surtout d'accommodation pour désigner l'aptitude de l'œil à s'adapter à la lumière, à s'y accommoder. Accommodation ne peut donc se rapporter à l'hébergement ou à des installations d'hôtel.

▸ Ce forfait comprend la nourriture et l'hébergement (et non l'accommodation).

Notez que accommodation prend deux c et deux m. En outre, il ne faut pas confondre accommodation avec accommodement, qui est synonyme d'arrangement ou de compromis.

ACCRÉDITATION — AGRÉMENT

L'accréditation est l'action d'accréditer ou le fait d'être accrédité, mais elle n'est pas synonyme de reconnaissance officielle se rapportant à une institution. Un ambassadeur ou un journaliste peut être accrédité, mais pas un établissement. Dans ce cas il s'agit d'un agrément, c'est-à-dire de l'approbation d'une autorité.

▸ Pour faire un reportage sur les Jeux olympiques, le journaliste requiert une accréditation.

ACÉTATE — TRANSPARENT

L'acétate est le sel de l'acide acétique, acide du vinaigre. Ce mot désigne aussi en abrégé l'acétate de cellulose, une fibre synthétique. Acétate est une impropriété pour transparent, document sur support transparent, destiné à la projection.

Attention au genre masculin de acétate : un acétate.

▸ Nous allons faire notre présentation à l'aide d'un rétroprojecteur et de transparents (et non d'acétates).

Cet hôpital a reçu l'agrément du ministère de la Santé (et non l'accréditation du ministère de la Santé).

ACTIVER — ACTIONNER

Activer, c'est accélérer, pousser, stimuler ou rendre plus actif.
▶ Il faudrait activer les travaux.
   Le vent active l'incendie.
Le verbe qui signifie mettre en mouvement un appareil est actionner.
▶ Je vais actionner le dispositif qui ouvrira mon parachute (et non activer le dispositif qui ouvrira mon parachute).
Notez que actionner signifie aussi poursuivre en justice.

ADHÉRENCE — ADHÉSION

L'adhérence est l'état d'un objet qui tient ou qui colle à un autre.
▶ L'adhérence de ces pneus est excellente.
Adhésion est synonyme d'accord, d'assentiment ou désigne l'appartenance à un groupe.
▶ Je donne mon adhésion à cette philosophie.
   Mon adhésion au Parti vert remonte à plusieurs années.

ADMISSION — ENTRÉE

L'admission est l'action d'admettre quelqu'un, c'est-à-dire de l'accepter dans un lieu, un groupe ou une institution, mais il n'est pas synonyme d'accès à un lieu. Dans ce cas, c'est entrée qu'il faut employer.
▶ J'ai fait ma demande d'admission à l'université.
   L'entrée à ce spectacle est gratuite (et non l'admission à ce spectacle est gratuite).

Le prix d'entrée à ce concert est trop élevé (et non le prix d'admission à ce concert est trop élevé).

Entrée interdite ou Défense d'entrer (et non Pas d'admission).

AFFECTION — INFECTION

Personne ne risque de confondre une infection avec un tendre sentiment. Mais, quand un médecin vous annonce que vous souffrez d'une affection bénigne, peut-être croyez-vous qu'il veut dire infection. C'est que affection signifie aussi maladie ou altération de l'état de santé. L'infection, quant à elle, est une contamination de l'organisme par des agents qui peuvent causer une maladie. C'est ainsi que l'infection peut engendrer une affection. Cependant, bon nombre d'affections ne comportent pas d'infection.

L'adjectif qui dérive de infection est infectieux (et non infectueux). On prononce infec-ci-eux (et non infec-<u>ti</u>-eux).

▶ Une maladie infectieuse.

AFFILÉ — EFFILÉ

Affilé signifie aiguisé, devenu de nouveau tranchant.

▶ Une hache affilée.

Effilé signifie mince et allongé.

▶ Un nez effilé.

AGENDA — ORDRE DU JOUR

Un agenda est un carnet contenant une page pour chaque jour où l'on inscrit par exemple ce qu'on doit faire, ses rendez-vous. Par analogie, on parle d'agenda électronique pour désigner un aide-mémoire sur support informatique. On prononce a - gin - da.

▸ J'ai besoin d'un agenda, car j'oublie mes rendez-vous.

Agenda ne peut désigner les sujets à discuter au cours d'une réunion. Dans ce cas, on parle d'un ordre du jour. Celui-ci énonce non seulement les matières à aborder mais aussi l'ordre dans lequel elles seront discutées.

▸ L'ordre du jour de l'assemblée est complet (et non l'agenda de l'assemblée est complet).

AGONIR — AGONISER

Agonir est un verbe transitif qui signifie accabler. On l'emploie rarement, sinon dans l'expression agonir quelqu'un d'injures. On ne saurait le confondre avec agoniser, verbe intransitif, qui signifie être sur le point de mourir.

▸ Comme il agonise, ce n'est pas le temps de l'agonir d'injures.

AIDER — SERVIR

On aide quelqu'un qui a des ennuis ou qui a une tâche à exécuter, aider signifiant alors assister.

▸ Au restaurant, la serveuse m'a dit : « Puis-je vous servir ? »

Le commis d'un magasin ou la téléphoniste devraient éviter le verbe servir.

▸ Le téléphoniste m'a dit : « Puis-je vous être utile ? » (Et non « Puis-je vous aider ? »)

AIGUILLER — AIGUILLONNER

Aiguiller signifie diriger en manœuvrant un aiguillage, guider ou orienter dans une direction précise.

▸ Je l'ai aiguillé vers une nouvelle carrière.

Aiguillonner (avec deux l et deux n) signifie piquer ou stimuler.

▸ Ses propos enflammés nous aiguillonnent.

AIGUISER — TAILLER

Aiguiser, c'est rendre tranchant, affilé, pointu un objet ou une pièce de métal. On ne peut donc aiguiser un crayon, on le taille. Et l'outil qui sert à tailler le crayon n'est pas un aiguisoir, c'est un taille-crayon. Un aiguisoir est un instrument servant à aiguiser.

▸ Comme je n'ai pas de taille-crayon (et non d'aiguisoir) je dois tailler (et non aiguiser) mon crayon à l'aide d'un canif.

AJOURNER — LEVER

Ajourner, c'est renvoyer à un autre jour ou à une date indéterminée.

▸ La réunion est ajournée à lundi prochain.

Quand une réunion est terminée, on n'ajourne pas la séance, on la lève.

▸ La séance est levée (et non ajournée).

AJUSTER — RÉGLER

N'ajustez pas votre appareil, réglez-le. Un téléviseur s'ajuste à l'usine au moment de sa fabrication. À la maison, le téléviseur se règle, par exemple pour obtenir une bonne image ou un son convenable. De même, on règle sa montre ou tout autre appareil à usage domestique. On peut cependant ajuster sa tenue, c'est-à-dire l'arranger avec soin ou porter des vêtements ajustés, c'est-à-dire bien adaptés au corps ou encore moulants.

AJUSTEUR — EXPERT

Dans le monde des assurances, le spécialiste qui analyse les demandes d'indemnisation (et non les réclamations) est un expert, plus précisément un expert en sinistres (et non un ajusteur). Un ajusteur est une personne qui procède à l'ajustage (et non à l'ajustement) de pièces mécaniques.

ALCOOLIQUE — ALCOOLISÉ

Alcoolique signifie qui contient de l'alcool.

▸ Le gin, le scotch et la vodka sont des boissons alcooliques.

Alcoolisé signifie additionné d'alcool.

▸ Ce café est alcoolisé puisque j'y ai ajouté du cognac.

Attention ! On ne prononce qu'un seul o dans alcool, alcoolique et alcoolisé, comme si on écrivait al-kol.

ALIGNEMENT — PARALLÉLISME

L'alignement, c'est le résultat de l'action d'aligner, c'est-à-dire de ranger sur une ligne droite ou de se placer sur une ligne droite. L'alignement désigne aussi les personnes ou les choses placées sur une même ligne. Notez qu'on dit bien alignement (et non enlignement), tout comme il faut dire aligner (et non enligner).

▸ L'alignement des élèves dans la cour d'école.

   Un bel alignement de rochers.

Appliqué aux roues d'une voiture, le mot alignement est un anglicisme qui doit être remplacé par parallélisme. Les roues doivent être parallèles plutôt qu'alignées.

▸ Périodiquement, il faut veiller au parallélisme des roues de sa voiture (et non à l'alignement des roues de sa voiture).

ALLOCATION — ALLOCUTION

Une allocation est une somme d'argent allouée.

▸ Les allocations familiales.

Une allocution est un discours plutôt bref prononcé dans des circonstances officielles.

▸ Le ministre a prononcé une excellente allocution.

ALTÉRATION — RETOUCHE

Une altération est un changement, une dégradation ou une modification de la nature de quelque chose.

▸ Les altérations du climat.

On ne peut donc employer altération pour parler d'une correction effectuée à un vêtement ; dans ce cas, il s'agit d'une retouche.

▸ Retouches gratuites (et non altérations gratuites) !

On ne peut employer non plus altération au sens de rénovation ou réparation.

▸ Fermé pour cause de rénovations (et non pour cause d'altérations) !

ALTERNATIVE — POSSIBILITÉ

Une alternative est une circonstance, une situation qui présente deux possibilités opposées entre lesquelles il faut choisir.

▸ L'alternative m'apparaît évidente : tu obéis ou tu démissionnes.

On ne peut donc dire : « Je suis placé devant deux ou trois alternatives. » Dans ce cas, il s'agit de possibilités, d'options ou d'éventualités. On ne peut dire non plus : « Heureusement, j'ai une autre alternative. » Outre qu'il y a là un pléonasme, alternative est un anglicisme qu'il faut remplacer par solution de rechange.

En dernière alternative est une impropriété pour en dernier lieu ou en dernier ressort.

AMÉNAGER — EMMÉNAGER

Aménager, c'est disposer, transformer, modifier ou préparer en vue d'un usage déterminé. Comme c'est un verbe transitif, il lui faut un complément direct.

▸ J'ai aménagé mon sous-sol pour en faire un bureau.

Emménager, c'est s'installer dans un nouveau logement. Son sens est proche de déménager, mais ce dernier terme signifie plutôt transporter des biens d'un logement dans un autre ou changer de logement. Ainsi, on n'emménage qu'après avoir déménagé. Comme emménager est un verbe intransitif, on peut l'employer sans complément.

▸ En mai prochain, j'emménage dans un nouvel appartement.

AMENDEMENT — MODIFICATION

Quand il désigne la modification d'un texte, le terme amendement ne s'applique qu'à un projet de loi. On n'amende donc pas un règlement ou un contrat, on le modifie, tout simplement.

▸ La Chambre a voté un amendement.

Une modification de nos règlements généraux s'impose (et non un amendement de nos règlements généraux s'impose).

AMENER — APPORTER

Amener et apporter ont tous deux le sens de déplacer d'un endroit vers un autre, mais amener s'applique généralement aux personnes et aux animaux, tandis que apporter s'applique plutôt aux choses.

▸ Je vous ai amené mon chien pour que vous le gardiez.

J'ai apporté des gâteaux.

AMENER — EMMENER

Amener signifie conduire quelqu'un, une personne ou un animal vers un endroit où on le quittera une fois arrivé à destination.

▸ J'amène mon enfant à la garderie tous les jours.

Emmener signifie mener quelqu'un avec soi d'un endroit à un autre. Emmener avec soi est évidemment un pléonasme.

▸ Nous emmenons les enfants à la plage.

ANTISEPTIQUE — ASEPTIQUE

Antiseptique se dit d'un médicament qui comporte des agents anti-infectieux.

▸ Des lotions, des remèdes antiseptiques.

Aseptique signifie exempt de tout microbe, de tout germe infectieux. On peut dire aussi stérile.

▸ Une salle d'opération, un pansement aseptique.

APPARTEMENT — PIÈCE

Un appartement est un ensemble de pièces destinées à l'habitation, dans un immeuble. On ne peut donc dire habiter un quatre appartements pour parler d'un logement qui compte quatre pièces. Pas plus qu'on ne peut dire bloc appartements pour désigner un immeuble résidentiel constitué de plusieurs logements.

▸ Cet immeuble (et non ce bloc appartements) compte six appartements de quatre pièces chacun.

APPENDICE — APPENDICITE

L'appendice est une partie de l'intestin, tandis que l'appendicite est une inflammation de l'appendice. Appendice est masculin, appendicite est féminin : *un* appendice mais *une* appendicite.

▸ On m'a enlevé l'appendice, car je souffrais de l'appendicite.

APPLIQUER — POSTULER

Appliquer est un verbe transitif qui a plusieurs sens.

▸ Appliquer une couche de peinture.

Appliquer un traitement pour soigner une maladie.

On ne peut employer appliquer comme verbe intransitif au lieu de postuler un emploi. On ne peut non plus faire application ; on fait une demande d'emploi. Notez que postuler peut se construire avec les prépositions pour ou à.

▸ Je postule un poste de rédacteur (et non j'applique pour un poste de rédacteur).

J'ai postulé à un emploi de commis (et non j'ai appliqué à un emploi de commis).

J'ai fait une demande d'emploi pour devenir fonctionnaire (et non j'ai fait une application pour devenir fonctionnaire).

APPOINTEMENT — RENDEZ-VOUS

Appointement ne peut s'employer pour désigner un rendez-vous. C'est un mot bien français, mais il ne s'emploie qu'au pluriel : des appointements. Dans ce cas, il désigne une rétribution fixe pour un emploi régulier.

▸ Cet employé touche des appointements intéressants.

J'ai un rendez-vous chez le dentiste (et non j'ai un appointement chez le dentiste).

APPROCHER — PRESSENTIR

Quand le verbe approcher se rapporte à une personne, il signifie avoir accès à cette personne, réussir à la voir.

▸ J'ai réussi à approcher le premier ministre.

Quand on veut recruter quelqu'un pour un poste ou une fonction, ou encore quand on veut attirer un client, on ne l'approche pas, on le pressent ou on le contacte, tout simplement. On peut aussi employer les expressions prendre contact avec ou entrer en rapport avec plutôt que contacter.

▸ Nous l'avons pressentie pour la présidence (et non nous l'avons approchée pour la présidence).

Il a pris contact avec moi pour me vendre une assurance (et non il m'a approché pour me vendre une assurance).

APURER — ÉPURER

Apurer est un terme de comptabilité qui signifie vérifier et arrêter un compte.

▸ Je vais apurer mes comptes avant le passage du vérificateur.

Épurer signifie rendre pur ou plus pur.

▸ Dans certaines régions, il est sage d'épurer l'eau avant de la boire.

ARGENTS — CRÉDITS

Argents au pluriel est à la fois un archaïsme et un anglicisme. On ne peut dire les argents pour désigner une somme d'argent. On parlera alors de crédits ou de fonds.

▸ Nous trouverons les crédits qu'il faut (et non les argents qu'il faut) pour financer notre projet.

Attention ! Argent est masculin.

▸ De l'argent américain (et non américaine).

ARGUMENT – DISPUTE

Un argument est une preuve, un raisonnement destiné à convaincre. Il ne désigne donc pas une discussion virulente ; dans ce cas, c'est une prise de bec ou carrément une dispute.

▶ Pour le convaincre, j'ai eu recours à plusieurs arguments. Hélas ! je n'ai pas réussi, le ton a monté et nous avons eu une dispute (et non un argument).

ARTICULÉ – ÉLOQUENT

Un être est rarement articulé, car cet adjectif se rapporte le plus souvent à des objets ou à des concepts. Il signifie construit avec une ou des articulations qui permettent le mouvement, prononcé distinctement ou bien structuré. On peut dire d'une marionnette à fils qu'elle est articulée, mais on ne peut dire qu'un fin causeur est articulé pour signifier qu'il est éloquent.

▶ Notre président d'assemblée s'exprime fort bien. Cet orateur éloquent (et non articulé) déploie des raisonnements bien articulés.

ASSIGNER – AFFECTER

Assigner, c'est prescrire ou attribuer quelque chose à quelqu'un. Sous l'influence de l'anglais, on confond ce verbe avec affecter, c'est-à-dire désigner ou nommer quelqu'un à une fonction.

▶ Ils m'ont affecté (et non assigné) à un poste à l'étranger et m'ont assigné une mission de développement commercial.

ASSISTANT – ADJOINT

Un assistant est une personne qui assiste quelqu'un ou le seconde, mais il est préférable d'employer adjoint dans la plupart des cas, pour éviter l'emprunt au sens large que l'anglais donne à assistant. On réservera assistant à assistant social ou assistante sociale, ainsi qu'à assistant du metteur en scène. Au pluriel, les assistants sont ceux qui assistent à quelque chose.

▸ Le directeur et ses adjoints (et non ses assistants).

L'adjoint du directeur (et non l'assistant du directeur).

Notez que assistant-comptable doit être remplacé par aide-comptable, assistant-gérant (de banque) par sous-directeur et assistant-directeur par directeur adjoint.

Notez aussi que, employé comme nom, le mot adjoint se construit avec la préposition de : l'adjoint du directeur ; employé comme adjectif, il se construit avec la préposition à : elle est adjointe au directeur.

ASSUMER — ASSURER

Quand on parle de tâches à exécuter, on hésite parfois entre assumer et assurer. Assumer renvoie davantage à la responsabilité, tandis que assurer se rapporte plutôt à l'exécution ou à la réalisation pratique.

▸ Je dois assumer la responsabilité de ces travaux, mais ce sont des ouvriers qui en assureront l'exécution.

ASSUMER — PRÉSUMER

Assumer, c'est prendre la responsabilité de quelque chose ou accepter une situation avec ses conséquences.

▸ J'assume le commandement de cette unité.

J'assume ma condition misérable.

On ne peut employer assumer au sens de présumer ou tenir pour acquis. Notez qu'on dit bien tenir pour acquis (et non prendre pour acquis).

▸ Nous présumons ou tenons pour acquis que vous serez présente (et non nous assumons que vous serez présente).

ATTENTION — INTENTION

La mention qui précise le nom du destinataire d'un envoi sur une lettre ou un colis est la locution à l'attention de (et non à l'intention de). On emploie à l'intention de de façon plus générale au lieu de spécialement pour ou destiné à.

▸ Sur le manuscrit que j'ai envoyé, j'ai inscrit À L'ATTENTION DE L'ÉDITEUR.
   J'ai acheté ces fleurs à l'intention de ma nouvelle amie.

Notez qu'on peut remplacer la mention à l'attention de par aux bons soins de ou aux soins de, en abréviation A/S de.

ATTESTER — TÉMOIGNER

Attester et témoigner ont des sens très voisins, mais attester demande un complément direct tandis que témoigner se construit avec la préposition de quand il signifie être la preuve de.

▸ Mon passé atteste ma bonne foi (et non atteste de ma bonne foi).
   Mon passé témoigne de ma bonne foi.

AUDIENCE — ASSISTANCE

Audience signifie réception où l'on admet quelqu'un pour l'écouter ou séance d'un tribunal.

▸ Le pape a reçu en audience le premier ministre du Canada.
   L'audience publique reprendra demain.

En français, audience ne signifie donc pas un ensemble de spectateurs. On parle alors d'assistance, ou encore de public ou d'auditoire.

▸ Toute l'assistance s'est levée pour applaudir l'humoriste (et non toute l'audience s'est levée pour applaudir l'humoriste).

J'invite maintenant l'auditoire à chanter en chœur (et non j'invite maintenant l'audience à chanter en chœur).

AUDITEUR — VÉRIFICATEUR

L'auditeur, c'est bien sûr celui qui écoute, mais on entend parfois ce mot pour désigner un expert-comptable qui effectue la vérification de documents comptables. Cet expert n'est pas un auditeur (de l'anglais *auditor*) mais tout simplement un vérificateur.

▸ Nous avons fait appel à un vérificateur (et non à un auditeur) pour prouver que tous nos comptes étaient en règle.

AUTOBUS — AUTOCAR

L'autobus est un véhicule de transport urbain, tandis que l'autocar assure le service entre les villes. On peut abréger autobus en bus et autocar en car. Notez que autobus et autocar sont masculins.

▸ J'attends l'autobus (ou le bus) pour me rendre à mon travail ; je l'aperçois, il arrive (et non elle arrive).

Nous allons prendre l'autocar (ou le car) pour nous rendre de Montréal à Québec.

AVÈNEMENT — ÉVÉNEMENT

L'avènement est l'arrivée, la venue de quelqu'un, de quelque chose.

▶ L'avènement du Messie.

Un événement est un fait qui se produit.

▶ C'est l'événement de l'année.

Notez que événement peut s'écrire de deux façons : le deuxième e peut prendre un accent aigu (évé) ou un accent grave (évè). Dans les deux cas, on prononce é-vè-nement.

AVISER — CONSEILLER

Aviser, c'est informer.

▶ Je vous avise que la séance est terminée.

On ne peut employer aviser pour signifier conseiller.

▶ Cette commission a eu besoin d'experts pour la conseiller (et non pour l'aviser).

On ne dit pas aviseur légal, mais conseiller juridique.

AVANT-MIDI — MATINÉE

Au Québec et en Belgique, on emploie couramment le mot avant-midi pour désigner la partie du jour qui va jusqu'à midi. Dans le reste de la francophonie, on utilise le mot matinée.

▶ Je vous verrai demain en matinée.

Après-midi et avant-midi sont des mots invariables.

▶ Tous les après-midi.

Après-midi et avant-midi s'emploient au masculin ou au féminin.

B

BÂBORD — TRIBORD

Bâbord, c'est le côté gauche à bord d'une embarcation, en regardant vers l'avant. Tribord, c'est le côté droit. Pour vous en souvenir, retenez que tribord = droite (la deuxième lettre des deux mots est un **r**), tandis que bâbord = gauche (la deuxième lettre des deux mots est un **a**). Attention ! Le a de bâbord porte un accent circonflexe.

BACTÉRIE — VIRUS

Bien des gens confondent bactérie et virus. Il s'agit bien de deux types de microbes, mais les virus sont beaucoup plus petits que les bactéries. Les antibiotiques ne servent qu'à combattre des bactéries, ils sont inutiles contre les virus. Cependant, les vaccins peuvent immuniser l'organisme contre les virus.

▸ Le virus de la grippe fait des ravages cette année, mais il n'y a pas de remède. J'aurais dû me faire vacciner.

On a découvert que l'ulcère d'estomac pouvait être provoqué par une bactérie. C'est pourquoi un antibiotique peut en venir à bout.

BAIN — BAIGNOIRE

Un bain désigne l'action de se baigner.

▸ Prendre un bain.

Sous l'influence de l'anglais, bain en est venu à désigner la cuve dans laquelle on prend un bain ; or, c'est en fait une baignoire.

Chambre de bain (de l'anglais *bathroom*) est évidemment un anglicisme à proscrire.

▸ Je prends mon bain dans ma baignoire (et non dans mon bain), qui se trouve dans la salle de bains (et non dans la chambre de bain).

BALANCE — PÈSE-PERSONNE

Une balance est un instrument qui sert principalement à peser des marchandises. L'appareil de pesage pour les personnes s'appelle plus précisément un pèse-personne. S'il s'agit d'un appareil pour peser les bébés, on parlera d'un pèse-bébé. On trouve aussi pèse-lettre, instrument pour peser les lettres, et bascule, appareil de pesage pour les objets lourds.

▸ Le diamantaire a besoin d'une balance pour évaluer les diamants.
Il me faut un pèse-personne pour connaître mon poids (de préférence à il me faut une balance pour connaître mon poids).

BALANCE — RESTE

Le mot balance ne peut s'appliquer au reste de quelque chose. Dans la plupart des cas, il suffit simplement d'employer le mot reste. En comptabilité, c'est le mot solde qu'il faut utiliser.

▸ J'emporte la viande, livrez le reste de la commande (et non livrez la balance de la commande).
Je passe le reste de mes vacances à la maison (et non je passe la balance de mes vacances à la maison).
Avec le solde de mon compte en banque (et non avec la balance de mon compte en banque), je pourrai m'acheter une chaîne stéréophonique.

BALANCEMENT — ÉQUILIBRAGE

Le balancement est un mouvement d'oscillation d'un objet ou d'un corps.

▶ Dans la marche, il y a un balancement du corps bien rythmé.

Balancement, pour équilibrage d'une roue dans le domaine de la mécanique automobile, est un anglicisme.

▶ Après avoir changé un pneu, il convient de procéder à un équilibrage (et non à un balancement).

BALAYEUSE — ASPIRATEUR

Une balayeuse est un véhicule muni d'une brosse rotative et destiné au balayage des voies publiques.

▶ Au printemps, les balayeuses de la ville entrent en action.

L'appareil domestique qui aspire la poussière et les saletés dans la maison est un aspirateur (et non une balayeuse).

▶ Le ménage est plus rapide à faire depuis que nous avons un aspirateur central.

Peux-tu passer l'aspirateur (et non la balayeuse) ?

BANQUE — TIRELIRE

Une banque est un établissement qui facilite les opérations financières.

▶ Chaque semaine, je dépose ma paye à la banque.

La petite boîte munie d'une fente dans laquelle on glisse de l'argent est une tirelire.

▶ Les enfants aiment bien les tirelires en forme de cochon (et non les banques en forme de cochon).

BANQUEROUTE — FAILLITE
Une faillite est la situation d'un débiteur qui ne peut plus payer ses dettes. On parle de banqueroute quand il s'agit d'une faillite accompagnée d'actes illégaux ; dans ce cas, on dit aussi faillite frauduleuse.
▸ Nous avons des doutes sur sa faillite. Ne s'agirait-il pas d'une banqueroute ?

BAR — COMPTOIR
Un bar est un débit de boissons ou un meuble où l'on range des alcools.
▸ Aller prendre un verre au bar.
  Il y a un bar dans ma chambre d'hôtel.
Bar à salades, pour comptoir à salades ou buffet de salades, est un anglicisme. Bar laitier est la traduction admise de *milk bar*.
▸ L'avantage des comptoirs à salades (et non des bars à salades), c'est qu'on peut se servir à volonté.
  Qu'il est agréable de déguster une glace dans un bar laitier quand la canicule se prolonge.

BARBIER — COIFFEUR
Barbier est un vieux mot français qui désignait celui qui faisait la barbe au rasoir à main. Quand on veut se faire couper les cheveux ou tailler la barbe de nos jours, on va chez le coiffeur.
▸ Figaro était le barbier de Séville.
▸ J'ai les cheveux longs, il est temps que j'aille chez le coiffeur (et non chez le barbier).

BAS — CHAUSSETTES

Le bas est une pièce de vêtement souple qui couvre le pied et la jambe. Quand la pièce de vêtement ne couvre que le pied et ne monte pas plus haut que la cheville, c'est chaussette qu'il faut employer.

▸ Les bas tiennent les jambes au chaud.

Les hommes portent surtout des chaussettes.

BATTERIE — PILE

Une batterie est, entre autres, un ensemble de composants générateurs d'énergie électrique.

▸ La batterie de ma voiture est à plat.

L'appareil qui transforme de l'énergie chimique ou solaire en électricité et qui sert à faire fonctionner des radios, des lampes de poche ou des jouets est une pile.

▸ Les piles alcalines (et non les batteries alcalines) durent plus longtemps que les piles au zinc (et non que les batteries au zinc).

BÉNÉFICES — PRESTATIONS

Bénéfices est synonyme de profit.

▸ Notre investissement nous a rapporté d'importants bénéfices.

Les versements qui sont destinés à assurer la sécurité économique de leur bénéficiaire ne sont pas des bénéfices, ce sont des prestations.

▸ Depuis son accident, il touche des prestations d'invalidité (et non des bénéfices d'invalidité).

Bénéfices marginaux est un anglicisme qui doit être remplacé par avantages sociaux.

▸ Nous avons obtenu de nouveaux avantages sociaux très intéressants (et non de nouveaux bénéfices marginaux très intéressants) dans notre convention collective.

BIAISÉ — TENDANCIEUX

Biaisé, employé comme adjectif, signifie légèrement faussé ou déformé par rapport à la réalité.

▸ Un résultat biaisé.

Un jugement qui relève d'un préjugé ou qui est tout à fait subjectif n'est pas biaisé, il est tendancieux.

▸ Ils ont exprimé des opinions tendancieuses sur notre projet (et non des opinions biaisées sur notre projet).

BILLET — CONTRAVENTION

Le mot billet a plusieurs sens, mais il ne désigne jamais ce document qu'on trouve avec colère inséré dans le pare-brise sous les essuie-glaces. Dans ce cas, c'est une contravention ou un constat d'infraction. Les Français parlent de papillon ou de P.-V. (pour procès-verbal de contravention). Évidemment, si on ne peut dire billet, à plus forte raison doit-on éviter ticket.

▸ Je devrai sortir quelques billets pour payer ma contravention (et non pour payer mon billet ou mon ticket).

BISE — BRISE

Bise et brise désignent deux types de vent. Le premier est un vent froid du nord, tandis que le second désigne un vent léger, peu violent.

▸ La bise s'est levée, je reste à la maison.
Comme il est agréable de se promener quand une petite brise vous amène les odeurs de la mer !

BLANCHIMENT — BLANCHISSAGE

Blanchiment signifie action de blanchir ou son résultat, action de décolorer certaines matières en utilisant des produits chimiques ou action de blanchir de l'argent.

▸ Le blanchiment d'un mur à la chaux.
Le blanchiment du papier.
Le blanchiment de l'argent.

Blanchissage signifie lavage du linge, action de raffiner le sucre ou, au Québec, en langage sportif, résultat d'un match où l'adversaire n'a marqué aucun point.

▸ Nous avons triomphé par blanchissage.

BLOC — CUBE

Un bloc est, entre autres, une masse compacte et pesante ou un ensemble d'éléments regroupés. Il ne désigne donc pas une pièce d'un jeu composé d'éléments en forme de cube. Un jeu de blocs se dit simplement cubes.

▸ Les jeunes enfants s'amusent beaucoup avec leurs cubes (et non avec leur jeu de blocs).

BLOC — IMMEUBLE

Le bâtiment qui comprend plusieurs appartements n'est pas un bloc ou un bloc appartements, c'est un immeuble d'habitation.

▸ Nous habitons un immeuble (et non un bloc appartements) en plein centre-ville.

BLOC — PÂTÉ DE MAISONS

Un groupe de maisons isolé par des rues est un pâté de maisons (et non un bloc).

▸ Je m'entraîne en faisant à la course le tour du pâté de maisons (et non en faisant le tour du bloc).

BOL — CUVETTE

Un bol est une tasse sans anse. On appelle également bol le contenu de cette tasse.

▸ Un bol de céréales.

La partie profonde des toilettes (notez le pluriel) n'est pas la bol (de l'anglais *bowl*), c'est la cuvette.

▸ Il faut laver la cuvette (et non la bol).

BOTTE — BOTTINE

Une botte est une chaussure qui protège le pied et la jambe, généralement jusqu'au-dessous du genou. Pour désigner une chaussure qui ne couvre que le pied et la cheville, on emploiera plutôt bottine ou bottillon. Le bottillon est généralement fourré, c'est-à-dire muni d'une doublure de protection.

▸ Des bottes de pluie.
   Des bottines de marche (et non des bottes de marche).
   Des bottillons de ski.

BOURRÉ — BOURRELÉ

Être bourré, c'est être rempli.

▸ Mon sac est bourré à craquer.

Elle s'est bourrée de gâteaux.

Être bourrelé, c'est être torturé moralement.

▸ Il était bourrelé de remords (et non bourré de remords).

BOURSE — SAC À MAIN

Une bourse est un petit sac pour mettre de l'argent, généralement des pièces de monnaie. De nos jours, on emploie plutôt porte-monnaie pour désigner l'étui réservé à cet usage.

▸ Il me reste quelques pièces dans mon porte-monnaie pour le parcmètre (ou parcomètre).

Bourse est une impropriété, de même que sacoche, pour sac à main, accessoire féminin dans lequel on transporte de menus objets tels des mouchoirs, un porte-monnaie, des papiers, des médicaments, une trousse de maquillage, un agenda, etc.

▸ Son sac à main est un véritable fourre-tout (et non sa bourse ou sa sacoche est un véritable fourre-tout).

La sacoche est souvent portée par le facteur ou le messager à vélo.

BOUTEILLE — BIBERON

Même si le contenant muni d'une tétine et destiné à nourrir ou à faire boire bébé a la forme d'une bouteille, il porte un nom précis : c'est un biberon.

▸ Bébé pleure, il réclame son biberon (et non sa bouteille).

BOYAU – TUYAU

Le mot **boyau** désigne, entre autres, l'intestin d'un animal et une galerie de mine.

▶ Les boyaux de porc sont utilisés en charcuterie.

Pour parler d'un conduit souple qui sert à faire passer un liquide, de l'eau par exemple, il faut employer le mot tuyau.

▶ Je lave ma voiture à l'aide d'un tuyau d'arrosage (et non à l'aide d'un boyau d'arrosage).

BRASSIÈRE – SOUTIEN-GORGE

Une brassière est un vêtement de bébé qui se ferme dans le dos.

▶ Comme bébé doit sortir, je dois lui mettre sa brassière.

La pièce de lingerie féminine servant à soutenir la poitrine est un soutien-gorge.

▶ Elle a décidé de ne plus porter de soutien-gorge (et non de brassière).

BREUVAGE – BOISSON

Breuvage ne s'emploie plus en français pour désigner un liquide qui se se boit, sinon dans certains cas précis. Par exemple, on peut parler d'un breuvage pour un philtre magique ou un médicament liquide.

▶ La sorcière lui a fait boire un breuvage et il s'est transformé en crapaud.

Le terme qui s'applique à tout liquide qui se boit est boisson, que le liquide contienne de l'alcool ou non.

▶ L'eau est la plus courante des boissons (et non le plus courant des breuvages).

Le jus de pomme est une excellente boisson (et non un excellent breuvage).

BROCHEUSE — AGRAFEUSE

Une brocheuse est une machine qui sert à brocher les livres et qu'on trouve rarement au bureau ou à la maison.

▸ Cette imprimerie a acheté une nouvelle brocheuse pour donner un meilleur service à ses clients.

L'appareil qui sert à attacher des feuilles de papier est une agrafeuse. De même, la pièce métallique qui sert à attacher les feuilles à l'aide de l'agrafeuse est une agrafe (et non une broche).

▸ Une agrafe (et non une broche) s'est coincée dans mon agrafeuse (et non dans ma brocheuse). Je ne peux plus agrafer mes documents (et non brocher mes documents).

BROUILLARD — BRUME

Le brouillard et la brume sont deux phénomènes météorologiques apparentés. Dans les deux cas, il s'agit d'un amas de vapeurs d'eau qui flotte légèrement au-dessus du sol. Quand la visibilité est réduite à moins d'un kilomètre, on parle de brouillard ; quand on peut voir à plus d'un kilomètre, c'est de la brume. Mais comme on mesure difficilement la portée de sa vision, on retiendra simplement que le brouillard est plus épais que la brume.

▸ Il serait imprudent de sortir par ce brouillard.
La brume n'empêche pas les voitures de circuler.

BRÛLÉ — GRILLÉ

L'adjectif brûlé s'applique à quelque chose qui a été incendié, qui a flambé.

▸ Il ne reste que des morceaux de bûches brûlés dans l'âtre.

Une ampoule devenue hors d'usage n'est pas brûlée, elle est grillée.

▸ Cette ampoule est grillée (et non brûlée), je dois la remplacer.

On ne brûle pas une lumière rouge, on grille un feu rouge.

C

CABARET — PLATEAU

Le support plat sur lequel on pose et transporte divers objets est un plateau (et non un cabaret). Un cabaret est une boîte de nuit.

▸ Un plateau de fromages.

À la cafétéria, les plateaux sont en plastique (et non les cabarets sont en plastique).

Au cabaret, on apporte les boissons sur des plateaux.

CABINET — ARMOIRE

Le mot cabinet a plusieurs sens. Il désigne notamment un meuble à compartiments pour ranger des objets précieux, mais l'anglais a étendu ce sens à une variété de meubles. En français, il faut dire armoire, qui désigne tout meuble de rangement fermé par des portes. Un cabinet à boissons est tout simplement un bar.

▸ J'ai trouvé un joli cabinet antique au marché aux puces.

Il nous faudrait une armoire (et non un cabinet) pour notre nouveau téléviseur.

Il y a un bar (et non un cabinet à boissons) dans notre chambre d'hôtel.

CADRAN — RÉVEILLE-MATIN

Un cadran est une surface graduée et portant les divisions d'une grandeur sur certains appareils. Un réveille-matin ou réveil est une petite pendule à sonnerie qui peut réveiller à une heure déterminée à l'avance. Autrefois, tous les réveille-matin étaient munis d'un cadran, d'où la confusion. De nos jours, les appareils numériques comportent un écran ou un voyant plutôt qu'un cadran.

▸ Je suis arrivé en retard parce que mon réveil n'a pas sonné (et non parce que mon cadran n'a pas sonné).

CADRE — TABLEAU

Un cadre est une bordure en bois ou en métal d'un tableau, d'une glace, d'une photographie, etc.

▸ Cette photo irait bien dans un cadre ovale.

Le cadre ne désigne donc pas le tableau ou le contenu lui-même.

▸ Nous avons de jolis tableaux (et non de jolis cadres) dans notre salon.

CAHOT — CHAOS

Les deux mots se prononcent de la même façon, comme K.-O. à la boxe, mais ils n'ont pas du tout la même signification. Un cahot est une secousse que subit un véhicule roulant sur un terrain inégal. Le chaos, c'est la confusion ou un désordre important.

▸ Je ne peux lire dans la voiture, car il y a trop de cahots.
   C'est le chaos dans le pays.

De même doit-on éviter de confondre les adjectifs cahoteux et chaotique.

▸ Une route cahoteuse.
   Une situation chaotique, proche de l'anarchie.

CAILLER – SOMNOLER

Cailler veut dire se figer, former des caillots de lait, de sang…

▸ Le lait a fini par cailler.

Dormir légèrement ou par intermittences, ce n'est pas cailler, c'est som-noler. On peut dire aussi sommeiller.

▸ Je l'ai surpris à somnoler (et non à cailler) dans son fauteuil.

CALANDRE – CALENDES

Une calandre est une machine à cylindres destinée à lustrer les étoffes, les papiers, ou encore une garniture métallique placée devant le radiateur d'une voiture.

▸ La calandre de ma nouvelle voiture lui donne fière allure.

On ne confondra pas calandre avec calendes (toujours au pluriel), qu'on n'emploie plus que dans l'expression « renvoyer aux calendes grecques », c'est-à-dire remettre à une époque qui n'arrivera jamais.

▸ J'ai renvoyé l'écriture de mon roman aux calendes grecques (et non aux calandres grecques).

CALORIFÈRE – RADIATEUR

Un calorifère est un système de chauffage qui distribue la chaleur d'une chaudière (et non d'une fournaise). L'appareil qui sert à la diffusion de la chaleur est un radiateur.

▸ Nous avons installé de nouveaux radiateurs (et non de nouveaux calorifères) pour obtenir plus de chaleur dans notre appartement.

CAMÉRA — APPAREIL PHOTO

Une caméra est un appareil de prises de vues pour le cinéma, la télévision ou la vidéo ; on peut employer le terme caméscope pour la vidéo.

▸ Pour faire un film, il faut une caméra.

L'instrument qui sert à prendre des photos est un appareil photographique ou appareil photo (sans trait d'union ; au pluriel, des appareils photo).

▸ Les nouveaux appareils photo numériques (et non les caméras numériques) donnent des photos très réussies.

CAMP — CHALET

Un camp est un espace de terrain réservé à l'armée ou un lieu où l'on campe.

▸ Nous allons installer notre camp ici pour la nuit.

Pour parler d'une maison de campagne, on emploiera plutôt chalet.

▸ Je passe mes vacances à mon chalet (et non à mon camp) dans le Nord.

Le québécisme camp de vacances est accepté pour colonie de vacances ou centre de vacances.

CANAL — CHAÎNE

Dans le monde des communications, un canal est une partie du spectre des fréquences radioélectriques destinée à être utilisée par un émetteur de radio ou de télévision. On ne confondra pas ce terme avec chaîne, qui désigne une entreprise de programmation d'émissions de radio ou de télévision diffusées sur un canal permanent.

▸ Les câblodistributeurs offrent à leurs clients l'accès à des centaines de chaînes (et non à des centaines de canaux).

CANCELLER — ANNULER

On ne peut employer canceller dans le sens de annuler un rendez-vous, une réservation, une commande, etc. On peut utiliser décommander ou contremander dans certains cas.

▶ J'ai annulé mon rendez-vous chez le dentiste (et non j'ai cancellé mon rendez-vous).

Je dois annuler mon chèque (et non je dois canceller mon chèque). On a contremandé la représentation (et non on a cancellé la représentation) parce que la vedette était malade.

CAP — ENJOLIVEUR

Cap désigne un promontoire ou une pointe de terre qui s'avance dans la mer ; il désigne aussi la direction d'un bateau ou d'un avion.

▶ Le cap Diamant à Québec.

Le capitaine met le cap sur les îles du Sud.

Cap de roue est un anglicisme qui doit être remplacé par enjoliveur.

▶ Cette voiture est équipée d'enjoliveurs un peu trop voyants (et non de caps de roue un peu trop voyants).

CAPITAINE — COMMANDANT

Celui qui commande à bord d'un avion est le commandant de bord et non le capitaine. Capitaine est réservé à la fonction de celui qui commande à bord d'un bateau.

▶ Je suis le commandant (et non le capitaine) Paul Vachon, responsable de votre vol vers Paris.

Le capitaine Haddock a un penchant pour la bouteille.

CARROSSE — LANDAU

Un carrosse est une voiture à chevaux, à quatre roues, suspendue et couverte ; on n'en voit plus guère de nos jours.

▸ Cendrillon était arrivée au bal dans un superbe carrosse.

Une voiture d'enfant est un landau, voiture à grandes roues, à caisse suspendue ou une poussette, petite voiture plutôt basse et qui se plie.

▸ Je promène mon bébé dans son landau (et non dans son carrosse).

Quant à ce panier sur roues qu'on utilise dans les marchés d'alimentation ou à l'aéroport, c'est, non pas un carrosse, mais un chariot. Attention ! Chariot ne prend qu'un seul r, alors que carrosse et charrette en prennent deux.

▸ J'ai rempli mon chariot (et non j'ai rempli mon carrosse), il est temps que je passe à la caisse.

CARTON — CARTOUCHE

L'emballage qui rassemble des paquets de cigarettes est une cartouche (et non un carton).

▸ La cartouche de cigarettes (et non le carton de cigarettes) se vend maintenant à un prix exorbitant.

CARTON — POCHETTE

La petite enveloppe en carton qui contient des allumettes est une pochette (et non un carton).

▸ J'ai toujours une pochette d'allumettes (et non un carton d'allumettes) dans ma poche.

CASSÉ – FAUCHÉ

Il n'y a qu'une seule situation où une personne peut être cassée, c'est quand elle est voûtée en raison de son âge.

▸ Ce vieillard est cassé ; plus il avance en âge, plus il se ratatine.

Si on veut dire que quelqu'un n'a plus un sou, on dira qu'il est fauché ou à sec.

▸ Je ne peux payer mon loyer, je suis complètement fauché (et non cassé).

CASSER – RÉSILIER

On ne peut jamais casser un bail. Mettre fin prématurément à un contrat de location, c'est résilier un bail.

▸ Comme nous avons acheté une maison, nous devons résilier notre bail (et non casser notre bail).

On ne peut pas non plus casser maison ni casser une grippe. On se sépare et on soigne sa grippe.

CECI – CELA

Le pronom démonstratif ceci annonce ce qui va suivre, tandis que cela désigne quelque chose d'éloigné ou ce qui précède.

▸ Ceci est mon testament.
   Dites-lui ceci de ma part : il ne doit pas abandonner.
   Cela dit (et non ceci dit), je ne changerai pas d'opinion.
   Ceci est à moi, cela est à elle.

Cela est très souvent remplacé par ça dans la langue populaire. Notez que ça ne prend pas d'accent grave sauf dans l'expression çà et là.

CÉDULE — PROGRAMME

Pour désigner un programme ou un horaire, on ne peut employer le mot cédule. On peut, dans certains cas, remplacer cédule par calendrier ou emploi du temps.

▸ Le programme de la session au cégep (et non la cédule de la session au cégep).

L'horaire de la réunion (et non la cédule de la réunion).

Le calendrier de la saison du Canadien (et non la cédule de la saison du Canadien).

J'ai un emploi du temps bien rempli (et non une cédule bien remplie).

Évidemment, on ne cédule pas des activités, on les programme, on les met à l'horaire.

CENSÉ — SENSÉ

Censé signifie supposé.

▸ Il est censé être à la maison.

Sensé signifie qui a du bon sens, qui est raisonnable.

▸ C'est une personne sensée. Du moins, elle est censée l'être.

CERTIFICAT — ACTE

Un certificat est un diplôme ou un document qui prouve un fait ou un droit, mais on ne peut employer ce mot dans le cas d'un document destiné à prouver la naissance. Il s'agit alors d'un acte de naissance. On peut dire aussi extrait de naissance.

▸ On exige un certificat médical pour le poste que je convoite.

J'ai besoin de mon acte de naissance (et non de mon certificat de naissance) pour obtenir un passeport.

CHAMBRE — BUREAU

Un local de travail dans un immeuble est un bureau (et non une chambre). Dans certains cas, le palais de justice par exemple, on emploie le terme salle.

> ▶ Je travaille dans cet immeuble du centre-ville, bureau 231 (et non chambre 231).
>
> On m'attend à la salle 468 du palais de justice (et non à la chambre 468 du palais).

CHANCE — RISQUE

Le mot chance s'applique à une éventualité heureuse ou malheureuse ; il a le sens de hasard, lequel peut être bon ou mauvais. Il est cependant préférable de l'employer dans le sens heureux. Le risque, lui, ne s'emploie que pour désigner un danger, une possibilité malheureuse.

> ▶ La chance a tourné, j'ai tout perdu.
>
> J'ai eu de la chance ; ma voiture est démolie, mais je m'en suis tiré indemne.
>
> Je cours la chance (et non je cours le risque) de remporter le gros lot.
>
> Cette aventure est pleine de risques.

Prendre une chance est un anglicisme. On remplacera cette expression par courir la chance.

CHANGE — MONNAIE

Le change désigne l'échange de monnaies de pays différents. Il ne désigne pas les pièces de monnaie en métal ou les pièces de faible valeur ; ces pièces, c'est la monnaie ou la petite monnaie.

> ▶ Quel est le taux de change du franc contre le dollar aujourd'hui ?
>
> Pour nourrir le parcmètre, il faut de la monnaie (et non du change).
>
> Avez-vous de la monnaie (et non du petit change) ?

CHAR — VOITURE

Le mot char s'emploie de moins en moins. On le retrouve dans les locutions char d'assaut et char allégorique, mais on l'entend beaucoup moins souvent qu'autrefois pour désigner une voiture ou une automobile. Un char usagé est une voiture d'occasion.

▸ On voit encore des courses de chars dans les films de fiction s'inspirant de l'Antiquité.

Aurait-on idée de publier un « guide du char » de nos jours ?

CHARGER — FACTURER

En tant que verbe transitif, charger signifie, entre autres, mettre une charge lourde sur, confier à quelqu'un une responsabilité, mettre dans un appareil ce qui est nécessaire à son fonctionnement ou couvrir de façon exagérée.

▸ Charger ses bagages dans le coffre de l'auto.

Charger un commis de livrer une commande.

Charger l'appareil photo d'une nouvelle pellicule.

Charger ne peut donc signifier demander un prix ou exiger une somme d'argent ; dans ce cas, c'est facturer qui s'impose le plus souvent. Dans certains cas, on emploiera compter, demander ou porter au compte.

▸ Je vous ai facturé le temps et les pièces (et non je vous ai chargé le temps et les pièces).

À votre compte ou comptant ? (et non charger ou payer ?)

Il m'a compté dix dollars pour son travail (et non il m'a chargé dix dollars pour son travail). L'autre me demandait vingt dollars (et non me chargeait vingt dollars).

CHARRUE — CHASSE-NEIGE

Une charrue est un instrument aratoire qui sert à des travaux agricoles.

▶ Il ne faut pas mettre la charrue devant les bœufs.

L'hiver, on range les charrues et on sort les chasse-neige (invariable au pluriel). Le chasse-neige se définit en effet comme un véhicule qui sert à déblayer les rues enneigées. La souffleuse est un chasse-neige muni d'un dispositif en forme d'hélice qui projette la neige.

▶ Après une tempête, souffleuses et chasse-neige (et non charrues) entrent en action.

CHÂSSIS — FENÊTRE

Un châssis est un cadre destiné à maintenir en place des planches, des vitres ; c'est l'encadrement d'une ouverture ou d'un vitrage.

▶ Les portes et les fenêtres ont des châssis.

Une fenêtre est une ouverture faite dans un mur pour laisser pénétrer l'air et la lumière.

▶ J'ai aperçu mon voisin à sa fenêtre (et non dans le châssis).

Comme une fenêtre n'est pas un châssis, il est très difficile d'installer un châssis double ; ce sont des contre-fenêtres qui doublent la protection contre le froid durant l'hiver.

CHAUDIÈRE — SEAU

Une chaudière est un appareil de chauffage. Autrefois, en Anjou, il désignait aussi un récipient cylindrique destiné au transport des liquides, mais cet usage a vieilli. On emploie plutôt le mot seau dans ce sens.

▶ J'ai besoin d'un seau d'eau (et non d'une chaudière d'eau) pour le grand ménage.

CHAUFFER — CONDUIRE

Chauffer, c'est rendre chaud ou plus chaud. C'est une impropriété au sens de conduire un véhicule. Chauffeur est cependant correct pour désigner un conducteur d'automobile.

▸ La circulation me fait peur, je ne sais pas très bien conduire (et non je ne sais pas très bien chauffer).
  Son métier : chauffeur de taxi !

CHIFFRE — NOMBRE

Les chiffres sont les signes qui permettent de noter les nombres.

▸ Les chiffres arabes sont 1, 2, 3, 4, 5, 6, 7, 8, 9 et 0.
  Les chiffres romains sont I, V, X, L, C, D et M.

Un nombre est une quantité d'unités. Il sert à caractériser une pluralité de choses, de personnes.

▸ Le nombre 234 se compose de trois chiffres.
  Écrire un nombre en chiffres ou en lettres.

CHIPS — CROUSTILLE

Le mot chips est apparu au début du siècle. Il n'y a aucune faute à l'utiliser. Chips désigne des pommes de terre coupées en fines rondelles et frites. L'Office de la langue française recommande cependant le nom croustille.

▸ Une chips.
  Des sachets de chips.

CIRCULATION – TIRAGE

Même si circulation se rapporte au mouvement de ce qui se propage, ce terme ne saurait s'appliquer au nombre d'exemplaires imprimés d'une publication. Dans ce cas, il s'agit du tirage.

▸ Quel est le tirage de cette revue (et non quelle est la circulation de cette revue) ?

CISEAU – CISEAUX

Ciseau, au singulier, désigne un instrument plat, qui sert à travailler le bois, le fer.

▸ Sculpter au ciseau.

Ciseaux, au pluriel, désigne un instrument formé de deux branches d'acier, croisées en leur milieu sur un pivot.

▸ Découper avec des ciseaux.

CLIGNER – CLIGNOTER

Cligner, c'est fermer les yeux à demi sous l'effet de la lumière. Ce verbe est transitif (cligner les yeux) ou intransitif (cligner des yeux). Synonyme : ciller.

▸ Je cligne des yeux (et non je clignote des yeux), ébloui par le soleil.

Clignoter est un verbe intransitif qui signifie s'allumer et s'éteindre par intervalles. Les avertisseurs lumineux à intermittence qui équipent les voitures sont des clignotants.

▸ Notre arbre de Noël est garni d'ampoules qui clignotent.

CLINIQUE — COURS

Une clinique est un établissement de soins de santé.

▸ J'ai de la fièvre ; je dois aller à la clinique.

Une clinique n'est donc pas une séance où l'on enseigne les rudiments d'une spécialité. Dans ce cas, il s'agit généralement d'un cours pratique, d'une démonstration ou d'un atelier. Une clinique de hockey est une école de hockey. Une clinique de sang est une collecte de sang. La locution « clinique externe » (d'un hôpital) doit être remplacée par consultations externes.

▸ Tous les printemps, les grands magasins offrent à leurs clients des cours de jardinage (et non des cliniques de jardinage).

La Croix-Rouge organise fréquemment des collectes de sang (et non des cliniques de sang).

CLOCHE — CLOQUE

Bien que la petite bulle de peau consécutive à une brûlure ou à un frottement ressemble parfois à une cloche, c'est une cloque. On peut dire aussi ampoule.

▸ Il vaut mieux ne pas crever la cloque (et non la cloche) à la suite d'une brûlure.

CLUB — BOÎTE

Un club est une association sportive ou culturelle. Il peut désigner aussi un cercle où l'on se réunit pour lire, causer ou jouer.

▸ Je fais partie d'un club de lecture.

Les Anglais, c'est connu, aiment bien se retrouver à leur club.

L'établissement ouvert la nuit où l'on peut écouter de la musique, danser et boire n'est pas un club ou un club de nuit, c'est une boîte ou une boîte de nuit.

▸ Avec des amis, j'ai fait la tournée des boîtes (et non la tournée des clubs).

COASSER — CROASSER

Les grenouilles coassent, les corbeaux croassent (mais les corneilles craillent). Comment distinguer coasser de croasser ? Les trois premières lettres de cro-asser correspondent aux lettres initiales de **cor**-beau.

COCOTTE — CÔNE

Le mot cocotte désigne bien des choses, entre autres une marmite en fonte, une poule dans le langage enfantin et une femme de mœurs légères.

▸ Faire cuire dans une cocotte.

 Cette femme est une grande cocotte.

Mais les fruits des conifères, pin, sapin, épinette, ne sont pas des cocottes, ce sont des cônes.

▸ Les cônes (et non les cocottes) font de très jolies décorations dans l'arbre de Noël.

CODE — INDICATIF

Entre autres sens, un code est un ensemble de symboles transmettant des informations. On parle ainsi de code secret, de code linguistique et de code postal. Code est toutefois un anglicisme quand il est employé pour indicatif régional dans le système téléphonique.

▸ N'oubliez pas de nous indiquer votre code postal dans votre adresse et votre indicatif régional (et non votre code régional) avec votre numéro de téléphone.

COLLECTER — PERCEVOIR

Collecter signifie recueillir par une collecte des fonds ou des dons, mais c'est un anglicisme au sens de percevoir de l'argent. Dans certains cas, on dit recouvrer une créance ou encaisser un chèque.

▸ Notre campagne de financement nous a permis de collecter 10 000 $. Tous les mois, le propriétaire perçoit les loyers (et non collecte les loyers).

J'ai un chèque à encaisser (et non à collecter).

Le gouvernement cherche à recouvrer l'argent des allocations perçues frauduleusement (et non à collecter l'argent des allocations perçues frauduleusement).

COLORER — COLORIER

Colorer, c'est donner de la couleur à quelque chose.

▸ Ce vent froid nous a coloré les joues.

Colorier, c'est appliquer des couleurs sur un dessin.

▸ Un album à colorier.

COMMERCIAL — ANNONCE

En français, commercial est un adjectif. Les messages publicitaires que l'on diffuse à la télévision ne sont donc pas des commerciaux, ce sont des annonces, tout simplement. On peut dire aussi réclame ou message publicitaire.

▸ Il y a de plus en plus de messages publicitaires (et non de commerciaux) durant les émissions.

COMMETTRE (SE) — PRONONCER (SE)

Se commettre, c'est se compromettre avec des personnes peu recommandables, c'est entretenir des relations déshonorantes avec elles.

▶ Il ne faut pas se commettre avec le crime organisé.

Quand on prend position sur un sujet, on ne se commet pas, on se prononce.

▶ Je me suis prononcé sur l'issue des élections (et non je me suis commis sur l'issue des élections).

COMPENSATION — INDEMNISATION

En français, la compensation est l'acte de neutraliser un inconvénient par un avantage ; ce terme signifie plus précisément un dédommagement matériel ou moral. Ce sens ne va toutefois pas jusqu'à désigner des sommes d'argent versées en guise de réparation ; dans ce cas, le mot juste est indemnisation.

▶ Les victimes de cette catastrophe ont eu droit à une indemnisation (et non à une compensation).

COMPLÉTER — REMPLIR

Compléter, c'est rendre complet en ajoutant ce qui manque ou achever.

▶ Ce timbre complète ma collection.

Je dois compléter ce rapport pour demain.

Compléter un questionnaire n'a de sens que si on veut dire y ajouter des questions. Répondre aux questions d'un formulaire, ce n'est pas le compléter, c'est le remplir.

▶ Veuillez remplir ce formulaire (et non compléter ce formulaire).

COMPRÉHENSIBLE — COMPRÉHENSIF

L'adjectif compréhensible signifie qui peut être compris facilement ou qui s'explique facilement.

▸ Un document compréhensible.

Un comportement compréhensible.

L'adjectif compréhensif signifie qui est apte à comprendre les autres.

▸ Un professeur compréhensif.

CONCIERGERIE — IMMEUBLE D'HABITATION

On trouve des concierges dans bon nombre d'immeubles, mais rarement ces personnes sont-elles chargées de garder des conciergeries et de veiller à leur entretien. Une conciergerie est en effet un logement de concierge dans un château ou dans un bâtiment public. Ce qu'on appelle communément une conciergerie est en fait un immeuble d'habitation.

▸ Le travail d'un concierge dans un immeuble d'habitation (et non dans une conciergerie) est souvent apprécié.

CONFRONTER — AFFRONTER

Confronter a surtout le sens de comparer. Particulièrement, c'est mettre des personnes en présence pour comparer ou vérifier leurs affirmations.

▸ Confronter différents points de vue.

Il faudrait confronter les témoins.

On ne peut confronter quelqu'un ou quelque chose, ni une difficulté ou un danger. Confronter a alors le sens de faire face à, affronter. Être confronté à est maintenant admis dans la francophonie, mais il est préférable de substituer à cette expression devoir affronter, être aux prises avec.

▸ Il faut affronter ces obstacles (et non confronter ces obstacles).

Les problèmes que nous devons affronter (et non qui nous confrontent).

CONJECTURE — CONJONCTURE

Une conjecture est une opinion fondée sur des apparences. Synonymes : hypothèse, supposition.

▸ Se perdre en conjectures.

Une conjoncture est une situation qui résulte d'une rencontre de circonstances et qui est considérée comme le point de départ d'une évolution, d'une action.

Synonymes : situation, état.

▸ Dans la conjoncture actuelle…

CONNECTER — BRANCHER

Connecter, c'est établir une liaison électrique entre divers appareils ou machines.

▸ J'ai tenté de connecter le magnétoscope au téléviseur.

Ce n'est toutefois pas raccorder un appareil d'usage domestique à un circuit électrique ; dans ce cas, c'est brancher qu'il faut employer.

▸ Il faudrait que je branche le fer à repasser pour qu'il fonctionne (et non que je connecte le fer à repasser pour qu'il fonctionne).

CONNEXIONS — RELATIONS

Le mot connexion s'applique à des choses, pas à des personnes. Avoir des liens avantageux avec des personnes, c'est avoir des relations, non des connexions.

▸ Tu peux compter sur mes relations (et non sur mes connexions) pour obtenir cet emploi.

CONSÉQUENT — CONSIDÉRABLE

Conséquent signifie logique, cohérent.

▸ Son comportement est conséquent avec ses idées.
   Des propos conséquents.

Conséquent, pour considérable, important, est un anglicisme.

▸ Une fortune considérable (et non une fortune conséquente).
   Une transaction importante (et non une transaction conséquente).

CONSERVATEUR — PRUDENT

Conservateur signifie attaché aux valeurs du passé, aux coutumes, aux traditions ; cet adjectif se rapporte surtout à une personne ou, en politique, à un parti.

▸ Le Parti conservateur du Canada.
   Il redoute le changement : un vrai conservateur !

Des chiffres, des prévisions ou des évaluations ne sauraient être conservateurs ; on dira plutôt prudents, ou encore modérés.

   Je ferai des prévisions prudentes (et non des prévisions conservatrices).
   Les chiffres qu'il nous a fournis sont plutôt modérés (et non conservateurs).

CONSTABLE — POLICIER

Constable est un terme qui ne s'applique qu'à un officier de police en Grande-Bretagne. Ailleurs, les constables sont tout simplement des policiers (et non des polices).

▸ On trouve des constables en Angleterre.
   Le policier (et non le constable) m'a remis une contravention.

CONTONDANT — TRANCHANT

Contondant et tranchant sont des antonymes. Contondant se dit d'un objet qui meurtrit par écrasement, sans couper, alors que tranchant s'applique à un objet qui coupe.

▸ On l'a assommé à l'aide d'un objet contondant, vraisemblablement un bâton de baseball.
Ce couteau est une arme tranchante.

CONVENTIONNEL — TRADITIONNEL

Conventionnel signifie conforme aux convenances ou qui se rapporte à une convention.

▸ Donner la main est une formule de politesse conventionnelle.
Conventionnel, au sens de traditionnel, classique, est un anglicisme.

▸ Elle a des goûts vestimentaires traditionnels (et non conventionnels).

COPIE — EXEMPLAIRE

Une copie est la reproduction d'une œuvre ou d'un document original, mais c'est un anglicisme pour désigner des disques, des imprimés reproduits d'après un type commun. Dans ce cas, il faut dire exemplaire.

▸ Je lui ai envoyé l'original de la lettre, mais j'en ai gardé une copie.
Ce livre a été tiré à 10 000 exemplaires (et non à 10 000 copies).
Cette artiste a vendu 100 000 exemplaires (et non 100 000 copies) de son dernier disque.

CORPORATION – SOCIÉTÉ

Une corporation est un ensemble de personnes qui exercent une même profession, un même métier.

▸ La corporation professionnelle des électriciens.

C'est sous l'influence de l'anglais que ce terme en est venu à désigner toute entreprise ; dans ce cas, le terme exact est société.

▸ Notre association est une société à but non lucratif (et non une corporation à but non lucratif).

COTATION – SOUMISSION

La cotation, c'est l'action de coter ou son résultat.

▸ La cotation des titres en Bourse est déterminante.

L'acte écrit par lequel une entreprise fait connaître ses propositions en réponse à un appel d'offres n'est pas une cotation, c'est une soumission. On peut aussi employer le mot devis.

▸ La soumission de cet imprimeur est inacceptable (et non la cotation de cet imprimeur est inacceptable).

Nous allons examiner attentivement le devis qu'il a présenté (et non la cotation qu'il a présentée).

COULER – ÉCHOUER

Couler a plusieurs sens, dont l'un équivaut à sombrer.

▸ Le bateau a coulé et son équipage a péri.

Certes, celui qui n'a pas réussi un test ou un examen a de quoi sombrer, au sens figuré, mais ce n'est pas une raison pour dire qu'il a coulé son test. On dira plutôt qu'il a échoué à son test. Attention ! Échouer est ici un verbe intransitif qui se construit avec la préposition à.

▸ Cet étudiant a échoué à l'examen (et non a coulé son examen).

COUPER — ABOLIR

Couper peut signifier interrompre ou faire cesser, mais il n'a pas le sens de abolir ou supprimer quand on parle d'un poste ou d'un emploi.

▶ Cette collation va me couper la faim.

La communication a été coupée.

Il faut nous résigner à abolir des postes (et non à couper des postes).

COUPER — RÉDUIRE

Couper peut signifier rendre plus court, mais il n'a pas le sens de réduire ou de comprimer quand on parle de dépenses. De même, coupure ne saurait être employé au sens de compression ou réduction budgétaire ; le nom coupe est cependant admis.

▶ Il faut réduire les dépenses (et non couper les dépenses ou couper dans les dépenses).

Ces compressions (et non ces coupures) ont été nécessaires pour équilibrer le budget.

COURRIER — POSTE

Le courrier, c'est l'ensemble des lettres, des imprimés et des paquets envoyés ou à envoyer par la poste. Ce dernier terme désigne le service d'acheminement et de distribution du courrier.

▶ Le courrier est arrivé (et non la poste est arrivée).

Envoyer une lettre par la poste (et non par le courrier).

COURTOISIE – GRACIEUSETÉ

La courtoisie est une qualité qui correspond à la politesse et à l'amabilité. L'entreprise qui offre un cadeau à un client est peut-être aimable, mais elle ne fait pas preuve de courtoisie ; son geste est une gracieuseté, elle offre quelque chose à titre gracieux, gratuitement.

▸ On m'a accueilli avec courtoisie.

Ce cadeau est une gracieuseté de votre fournisseur (et non une courtoisie de votre fournisseur).

L'anglicisme « Courtoisie de… » peut se dire « Hommage de… » Quant à la voiture de courtoisie que vous prête le garage pendant que votre voiture est en réparation, c'est une voiture de prêt ou une voiture de service.

COUTELLERIE – MÉNAGÈRE

La coutellerie désigne la fabrication et le commerce des couteaux et autres instruments tranchants.

▸ Les meilleures coutelleries sont en Allemagne.

Une coutellerie n'est donc pas l'ensemble des ustensiles (couteaux, fourchettes, cuillers) dont on se sert pour manger. Dans ce cas, il s'agit des couverts ou d'un service de couverts. Quand ce service est disposé dans un coffret, on appelle cet ensemble ménagère.

▸ Je lui ai offert une ménagère (et non une coutellerie) de très grande qualité.

COUVERT – COUVERCLE

Le couvert désigne les ustensiles de table à l'usage de chaque convive ou un espace abrité, qui peut être naturel. Mettre le couvert ou dresser le couvert signifie mettre la table.

▸ Une table de six couverts.

S'abriter sous le couvert des arbres.

Se mettre à couvert, c'est-à-dire à l'abri.

Un couvercle est une pièce mobile qui s'adapte à l'ouverture d'un récipient pour le fermer.

▸ Le couvercle (et non le couvert) d'un pot de confiture.

Poser le couvercle (et non le couvert) sur la casserole.

COUVERT — COUVERTURE

Comme le couvert désigne des ustensiles de table ou un espace abrité, il ne saurait s'appliquer à ce qui recouvre un livre. Dans ce cas, on dit couverture.

▸ La couverture de ce livre (et non le couvert de ce livre) est cartonnée.

D'un couvert à l'autre est un calque de l'anglais. On dira plutôt de A à Z ou entièrement.

▸ J'ai lu ce bouquin de A à Z (et non d'un couvert à l'autre).

COUVERTE — COUVERTURE

En tant que nom, couverte est un terme bien français, mais ce mot ne saurait désigner une pièce de tissu ou d'étoffe destinée à protéger du froid. Dans ce cas, il s'agit d'une couverture. Couverte désigne plutôt un enduit qui recouvre les porcelaines ou les grès.

▸ Ajouter une couverture de laine (et non une couverte de laine) sur le lit.

CRAQUE — FISSURE

En français, craque veut dire mensonge. En anglais, *crack* veut dire fissure, fêlure. Une crevasse superficielle n'est donc pas une craque, c'est une fissure.

▸ Il y a une fissure (et non une craque) dans le mur.

CRAQUE — POINTE

Comme, en français, craque signifie mensonge, on ne peut parler de craque pour une allusion ironique ou blessante. Dans ce cas, il s'agit d'une pointe ou d'une pique. En anglais, *crack* veut dire plaisanterie.

▸ Il ne cesse de me lancer des pointes (et non des craques).

C'est simplement une plaisanterie (et non une craque).

CRASH — KRACH

Un crash est un atterrissage très brutal d'un avion qui, souvent, cause une catastrophe.

▸ En juillet 2000, le crash du Concorde a fait de nombreuses victimes. On ne doit pas confondre crash avec krach, effondrement des cours à la Bourse ou faillite subite d'une entreprise. Krach se prononce comme craque.

▸ C'est la panique à la Bourse ; il y a eu un krach (et non un crash).

CRÉDIT — MÉRITE

Crédit a plusieurs sens, notamment celui d'influence.

▸ Il a beaucoup de crédit auprès de ses pairs.

On ne peut cependant employer crédit pour désigner ce qui rend quelqu'un ou quelque chose digne d'estime, de récompense ; cette qualité, c'est le mérite.

▸ Tout le mérite de la victoire (et non tout le crédit de la victoire) lui revient.

CUBE — GLAÇON

Même si les morceaux de glace sont en forme de cube, ce ne sont pas des cubes, ce sont des glaçons.

▸ Je vous sers ce cocktail avec ou sans glaçons (et non avec ou sans cubes de glace) ?

Cube de sucre est également une faute pour désigner un morceau de sucre.

CUEILLETTE — COLLECTE

Une cueillette consiste à cueillir des fleurs, des fruits, des légumes, etc.

▸ L'automne est le temps de la cueillette des champignons.

Cueillette est une impropriété pour collecte, action de recueillir des fonds ou des données.

▸ Il faudrait faire une collecte de fonds (et non une cueillette de fonds).

Quand il s'agit des ordures, on parle aussi de l'enlèvement ou du ramassage des ordures.

▸ La collecte des ordures (et non la cueillette).

CUMULATIF — TOTAL

Cumulatif est un adjectif signifiant qui fait double emploi ou qui s'ajoute.

▸ Toutes ces dépenses sont cumulatives : elles s'additionnent.

On ne peut employer cumulatif comme nom signifiant total, somme ou score.

▸ Quel est votre total, votre score (et non votre cumulatif) après trois tours ?

CURATEUR — CONSERVATEUR

Un curateur est une personne qui a la charge d'administrer les biens ou de veiller aux intérêts d'une autre personne qui en est incapable.

▸ Son incapacité nécessite la nomination d'un curateur.

La personne qui est responsable des collections d'un musée ou d'une bibliothèque est un conservateur.

▸ Il n'est pas nécessaire d'être un artiste pour devenir conservateur de musée (et non curateur de musée).

CYMBALE — TIMBALE

La cymbale désigne chacun des deux disques de cuivre ou de bronze qui composent un instrument de musique à percussion. On l'emploie donc au pluriel pour désigner l'instrument.

▸ Un excellent joueur de cymbales.

La timbale est une sorte de tambour demi-sphérique sur lequel on frappe avec des baguettes. Le mot désigne aussi un gobelet de métal, un moule de forme circulaire et une préparation culinaire que l'on appelle plus souvent vol–au–vent.

▸ Il peut aussi jouer de la timbale.

J'adore les timbales aux huîtres.

Attention ! Cymbale s'écrit avec un y, timbale avec un i.

D

DARD — FLÉCHETTE

Un dard est un aiguillon chez certains insectes, abeilles, guêpes, ou un bâton muni d'une pointe de fer.

▸ Une guêpe m'a piqué de son dard.

Le petit projectile qu'on lance à la main en visant une cible n'est pas un dard, c'est une fléchette.

▸ Je lui ai offert un jeu de fléchettes (et non un jeu de dards).

DÉBARQUER — DESCENDRE

Débarquer, c'est quitter un bateau, un avion ou un train.

▸ Les passagers de la croisière ont débarqué au port de Montréal.

Quand il s'agit d'une voiture, d'un autobus, il faut employer descendre ou sortir.

▸ Je descendrai de l'autobus au prochain arrêt (et non je débarquerai de l'autobus au prochain arrêt).

Je suis sorti de ce taxi en vitesse (et non j'ai débarqué de ce taxi en vitesse).

DÉBUTER — COMMENCER

Débuter et commencer sont presque synonymes. La différence, c'est qu'on ne débute pas quelque chose, on commence une chose. Le verbe débuter n'a pas de complément direct. L'emploi de débuter comme verbe transitif au même titre que commencer est critiqué.

▸ J'ai commencé ma carrière il y a vingt ans (et non j'ai débuté ma carrière il y a vingt ans).
Elle débute dans le métier.
Elle commence dans le métier.

DÉCHIFFRER — DÉFRICHER

Déchiffrer signifie décoder, lire ou comprendre un texte difficile à lire.
▸ J'ai peine à déchiffrer votre écriture.
Défricher signifie rendre propre à la culture ou, au sens figuré, déblayer, débroussailler.
▸ Nous allons défricher ce bosquet pour faire un jardin.

DÉCOCHER — DÉCROCHER

Décocher signifie lancer, tandis que décrocher signifie détacher ou gagner.
▸ Il a décoché un tir puissant vers le but (et non il a décroché un tir puissant vers le but), ce qui a permis à son équipe de décrocher la victoire.
Décrochons la remorque avec prudence.

DÉDUCTIBLE — FRANCHISE

En français, déductible est un adjectif qui signifie qui peut être déduit.
▸ Les dons de charité sont déductibles du revenu imposable.
Dans le langage des assurances, la part d'un dommage que l'assuré doit payer n'est pas le déductible, c'est la franchise.
▸ J'ai dû payer une franchise de 250 $ (et non un déductible de 250 $) à la suite de mon accident.

DÉFINITIVEMENT – CERTAINEMENT

L'adverbe définitivement signifie de façon définitive, pour toujours, une fois pour toutes. Il n'a pas d'autre sens.

▸ Mourir, c'est partir définitivement.

Pour manifester son accord, on ne peut employer définitivement ; on peut utiliser certainement, ou encore assurément, à coup sûr, indiscutablement, évidemment, bien sûr…

▸ Êtes-vous d'accord ? Certainement, bien sûr (et non définitivement).
Pierre est assurément (et non définitivement) le plus doué.

DÉLAI – RETARD

Un délai est le temps accordé pour l'exécution d'une chose.

▸ J'ai un délai de trois semaines pour préparer ma candidature.
J'ai donné aux élèves un délai de deux jours pour achever leurs devoirs.

Délai, au sens de retard, est un anglicisme.

▸ Je ne tolérerai aucun retard (et non je ne tolérerai aucun délai).
L'avion a du retard (et non l'avion a un délai).

DÉLIVRER – LIVRER

Délivrer signifie remettre en liberté ou, dans la langue administrative, remettre un permis, un passeport, un diplôme…

▸ Le commando a réussi à délivrer les otages.
Le ministère des Transports délivre les permis de conduire.

Porter un colis à quelqu'un, c'est le livrer et non le délivrer.

▸ Nous livrons les commandes à domicile (et non nous délivrons les commandes à domicile).

L'expression « livrer la marchandise » est un calque de l'anglais. On peut la remplacer par remplir ses engagements, tenir parole ou tenir ses promesses.

DÉMANTELER — DÉMONTER

En français, démanteler signifie démolir, détruire. Ce terme a une connotation militaire ou policière.

▸ La police a démantelé un réseau de trafiquants.

On ne démantèle donc pas une usine pour la reconstruire ou un objet pour le réparer ou le rénover ; dans ce cas, on emploiera démonter ou désassembler.

▸ Cette multinationale a décidé de démonter son usine de Saint-Pie (et non de démanteler son usine de Saint-Pie) pour la reconstruire à Saint-Lin.

Je dois démonter ce moteur (et non démanteler ce moteur) pour le remettre à neuf.

DÉMYSTIFIER — DÉMYTHIFIER

Démystifier et démythifier renvoient tous deux à l'idée de tromperie, d'où une certaine confusion. Démystifier, c'est détromper celui qui est victime d'une mystification ou enlever à une chose son caractère trompeur.

▸ Il faudrait démystifier les adeptes de cette secte.

Démystifier la magie en révélant certains trucs.

Démythifier, c'est mettre fin à un caractère mythique, idéalisé, imaginaire. Attention à l'orthographe ! Démystifier, démythifier.

▸ Démythifier un personnage vénéré comme une idole.

Démythifier une œuvre dont la renommée est surfaite.

DÉODORANT – DÉSODORISANT

Déodorant s'emploie pour les produits destinés aux soins corporels.

▸ Après mon entraînement, j'ai besoin d'un bon déodorant.

Désodorisant s'applique aux produits qui enlèvent ou masquent les odeurs dans un lieu, une pièce, un local.

▸ Ça sent le renfermé ici, vite, le désodorisant !

Le verbe qui correspond aux deux termes est désodoriser.

DÉPARTEMENT – RAYON

Le mot département a plusieurs sens : secteur des affaires de l'État dont s'occupe un ministre, subdivision de faculté universitaire.

▸ Un département d'État.

Le Département des sciences politiques de l'Université de Montréal. Dans un grand magasin, les divisions ne sont pas des départements, ce sont des rayons. Par ailleurs, une entreprise est subdivisée en services, et non en départements.

▸ Où se trouve le rayon des jouets (et non le département des jouets) ?

Veuillez vous adresser au service de la comptabilité (et non au département de la comptabilité).

DÉPECER – ÉCORCHER

Dépecer, c'est mettre en pièces, découper en morceaux.

▸ Dépecer un poulet.

Dépouiller un animal de sa peau, c'est, non pas le dépecer, mais l'écorcher. On dit aussi dépiauter.

▸ Il faut écorcher ce lapin avant de le dépecer.

DÉPORTATION — DÉPORTEMENT

La déportation est une peine d'exil, c'est-à-dire le fait de chasser une personne de son pays.

▸ La déportation des Acadiens.

Le déportement est le fait d'être déporté pour un véhicule.

▸ Mon automobile a basculé dans le fossé à la suite d'un déportement subit.

DÉPORTER — EXPULSER

Déporter signifie, entre autres, chasser quelqu'un de son pays, l'exiler ou l'envoyer dans un camp de concentration.

▸ On a déporté plusieurs patriotes au XIXe siècle.

Quand un gouvernement décide de renvoyer un réfugié ou un immigrant illégal dans son pays ou dans un autre pays, il ne le déporte pas, il l'expulse, tout simplement.

▸ Le gouvernement pourrait expulser les criminels de guerre entrés illégalement au Canada (et non déporter les criminels de guerre entrés illégalement au Canada).

DÉPÔT — ACOMPTE

Quand il se rapporte à l'argent, le mot dépôt signifie l'action de déposer une somme en un lieu ou la somme elle-même.

▸ J'ai effectué un dépôt à la banque.

On ne peut employer dépôt pour désigner un paiement partiel à valoir sur le montant d'une somme à payer. Dans ce cas, c'est acompte qu'il faut utiliser ou encore versement. Notez que acompte est masculin.

▸ Dois-je verser un acompte (et non un dépôt) au moment de la commande ?

« Dépôt direct » est aussi un calque de l'anglais, qui peut être remplacé par virement automatique.

DÉPÔT – CONSIGNE

La somme perçue en garantie du retour des emballages ou des contenants n'est pas un dépôt, c'est une consigne.

▶ Il faut payer une consigne de cinq cents la bouteille (et non un dépôt de cinq cents la bouteille).

« Pas de dépôt ni retour » est un calque de l'anglais qui doit être remplacé par non consigné.

DÉTOUR – DÉVIATION

Un détour est un parcours plus long qui s'écarte du chemin direct. Toutefois, dans la signalisation routière, le passage qui permet de contourner un obstacle temporaire est une déviation (et non un détour).

▶ On signale une déviation (et non un détour) qui nous fera faire un détour de cinq kilomètres.

DÉTOURNER (SE) – RETOURNER (SE)

Se détourner, c'est se tourner d'un autre côté pour éviter quelque chose.

▶ Elle se détourna pour ne pas voir ce spectacle horrible.

Pour regarder derrière soi, on emploiera se retourner, et non se détourner.

▶ Il se retourna (et non il se détourna) pour les saluer une dernière fois.

DÉVELOPPEMENT — CRÉATION

Le mot développement exprime généralement une idée de croissance ou de progrès, ou encore de déploiement ou d'explicitation, plutôt qu'une idée de création ou de mise en valeur. On utilise aussi développement au pluriel pour parler de suite ou de prolongement.

▸ Le développement de l'intelligence.

Le développement économique.

Le développement d'un thème musical.

Le développement d'un raisonnement.

Les nouveaux développements de cette affaire.

Mais…

▸ La création de nouveaux modèles (et non le développement de nouveaux modèles).

La mise au point d'un nouveau procédé (et non le développement d'un nouveau procédé).

L'élaboration d'un plan (et non le développement d'un plan).

La mise en valeur ou l'exploitation des richesses naturelles (et non le développement des richesses naturelles).

DÉVELOPPEMENT — LOTISSEMENT

Les terrains d'une propriété divisée en lots pour y construire des habitations ne constituent pas un développement, mais un lotissement.

▸ Nous avons acheté une maison dans un nouveau lotissement de la banlieue (et non dans un nouveau développement de la banlieue).

DEVOIR (EN) — SERVICE (EN)

Même si un policier a des devoirs professionnels, il n'est pas en devoir quand il travaille, il est en service. On peut dire aussi de service ou de garde.

▶ La plupart des policiers portent l'uniforme quand ils sont en service (et non quand ils sont en devoir).

DIÈTE — RÉGIME

Une diète est une privation partielle de nourriture, généralement prescrite par un médecin.

▶ Je dois suivre une diète stricte en raison de mon diabète.

Sous l'influence de l'anglais, on emploie souvent diète pour désigner tout régime alimentaire, amaigrissant ou non. Il est préférable de limiter l'emploi de diète au sens médical.

▶ Je devrais essayer ce nouveau régime (et non cette nouvelle diète) pour maigrir.

Mon régime (et non ma diète) est totalement végétarien.

DIGITAL — NUMÉRIQUE

Digital est un adjectif qui se rapporte aux doigts.

▶ Les empreintes digitales.

On ne peut employer digital en électronique comme terme se rapportant à la représentation d'informations par des nombres ou d'autres signes. Dans ce cas, le terme juste est numérique.

▶ Je lui ai offert une montre numérique (et non une montre digitale).

DIRECTEUR — ADMINISTRATEUR

Les membres d'un conseil d'administration ne sont pas des directeurs, ce sont des administrateurs.

▶ L'assemblée générale m'a élu administrateur (et non directeur) au conseil.

Un directeur est une personne qui dirige un service ou qui est à la tête d'une entreprise.

▶ Le directeur commercial des Messageries ADP.
  Le président-directeur général.

DISGRÂCE — HONTE

Une disgrâce est une perte de l'estime dont quelqu'un jouissait.

▶ Tomber en disgrâce.

On ne peut employer disgrâce au sens de honte pour désigner une initiative ou un acte.

▶ Cette décision est une honte (et non une disgrâce) pour notre communauté.

DISPONIBLE — OFFERT

Disponible veut dire libre, dont on peut disposer, faire usage.

▶ Ce local est disponible, nous pouvons nous y installer.
  Si vous avez besoin de moi, je suis disponible.

Cet adjectif ne saurait s'appliquer à des marchandises en vente ; celles-ci sont tout simplement offertes aux clients.

▶ Ce produit est maintenant offert (et non disponible) dans tous les grands magasins ; il est en vente partout.

DISPOSER DE — VAINCRE

Disposer de, c'est posséder, avoir l'usage de.

‣ Je dispose d'une bonne réserve de nourriture.

On ne peut disposer d'un adversaire dans un sport. On le vainc, on le bat.

‣ Hier, dans la Ligue nationale de hockey, Montréal a vaincu Toronto (et non a disposé de Toronto).

Notez aussi :

Se débarrasser d'un objet inutile, s'en défaire (et non en disposer).

Trancher ou régler une question (et non en disposer).

Détruire des déchets (et non en disposer).

Résoudre un problème (et non en disposer).

DOMESTIQUE — INTÉRIEUR

L'adjectif domestique se rapporte à la maison, au ménage et à ce qui vit dans l'entourage de l'homme. On dit cependant aide ménagère plutôt que aide domestique.

‣ Les travaux domestiques sont routiniers.

Chiens et chats sont des animaux domestiques.

J'ai besoin d'une aide ménagère pour les travaux domestiques.

Domestique ne peut s'appliquer à un pays. L'adjectif à employer dans ce cas est intérieur.

‣ Le marché intérieur (et non le marché domestique) désigne la clientèle d'un pays.

Tous les vols intérieurs (et non tous les vols domestiques) ont été annulés en raison du mauvais temps.

DUPLICATION — RÉPÉTITION

Duplication est un terme spécialisé qu'on utilise en chimie, en géométrie, en musique, en radiodiffusion et en génétique. Il n'a pas le sens de répétition ou double emploi quand on parle d'un travail. On peut aussi remplacer duplication, dans certains cas, par chevauchement.

▸ Cette méthode entraîne une répétition du travail (et non une duplication du travail).

Dans la répartition du travail, il faut éviter le chevauchement des tâches (et non la duplication des tâches).

E

ÉCAILLE — ÉCALE

Une écaille, c'est chacune des petites plaques qui recouvrent la peau de certains poissons et reptiles. On parlera donc des écailles (au pluriel) d'un poisson ou d'un serpent. On dit l'écaille d'une huître (ou la coquille).

On écaille une huître, on ne l'écale pas.

Une écale, c'est une enveloppe qui recouvre la coque des noix, des amandes. On écale une pistache, on ne l'écaille pas.

Notez qu'un œuf est revêtu d'une coquille (et non d'une écale), mais lorsqu'on enlève cette coquille, on l'écale. Notez aussi qu'on n'écale pas des haricots ou des petits pois, on les écosse.

ÉCARTER — ÉGARER

Écarter signifie éloigner, séparer, tenir quelqu'un à distance ou repousser, évincer, exclure ; s'écarter, c'est s'éloigner d'un lieu.

▶ Écarter un meuble du mur.
Écarter les doigts.
J'ai écarté cette solution.
Il vaut mieux s'écarter de cette région.

Écarter est une impropriété pour égarer ou perdre.

▶ J'ai égaré mon portefeuille (et non j'ai écarté mon portefeuille).
Nous nous sommes égarés dans la forêt (et non nous nous sommes écartés dans la forêt).

ÉCHANGER — CHANGER

Échanger, c'est donner une chose pour en obtenir une autre en contre-partie. Il y a une idée de réciprocité et de consentement dans ce verbe ; en ce sens, la forme pronominale est superflue.

▸ À Noël, nous échangeons des cadeaux (et non nous nous échangeons des cadeaux).

Les enfants aiment bien échanger des cartes de hockey (et non s'échanger des cartes de hockey).

Il fait bon échanger des propos légers.

On ne peut employer échanger dans le domaine commercial pour dire qu'on rend un article acheté dans le but d'en obtenir un autre ou de se faire rembourser ; dans ce cas, c'est le verbe changer qu'il faut employer.

▸ Je n'aime pas ce disque, j'irai le changer au magasin (et non l'échanger au magasin) ou j'essaierai de me le faire rembourser.

Notez qu'on n'échange pas un chèque. On ne le change pas non plus, on l'encaisse.

▸ Je dois encaisser ce chèque au plus tôt (et non échanger ou changer ce chèque au plus tôt).

Dans le domaine du sport, on n'échange un joueur que s'il y a une contrepartie ; sinon, on le cède, pour ne pas dire carrément qu'on le vend !

▸ Le Canadien a échangé son gardien de but contre un ailier des Bruins de Boston.

Il a cédé (et non échangé) son meilleur marqueur aux Rangers de New York.

ÉCHOUER — RATER

Échouer peut vouloir dire rater, mais attention ! échouer est intransitif, tandis que rater est transitif. On n'échoue donc pas un examen, on échoue à un examen ou on le rate.

▸ Ce champion a échoué au test de dopage (et non a échoué le test de dopage).

Elle a raté son examen et devra se présenter à la reprise.

ÉCLAIRCIR — ÉCLAIRER

Éclaircir signifie rendre moins sombre, moins épais, clarifier pour l'esprit.

▸ Éclaircir le teint.

Pour éclaircir votre sauce, ajoutez un peu d'eau.

La police tente d'éclaircir l'affaire.

Éclairer signifie répandre de la lumière sur, rendre compréhensible une question, des faits, fournir les renseignements, informer.

▸ Cette lumière éclaire trop.

Tu as éclairé la situation.

ÉCOUTEUR — COMBINÉ

Un écouteur est un récepteur que l'on porte à l'oreille pour recevoir le son.

▸ Un casque d'écoute est ordinairement constitué de deux écouteurs.

La partie mobile d'un téléphone qui permet à la fois d'entendre l'interlocuteur et de lui parler n'est pas un écouteur, c'est un combiné qui comprend un écouteur et un microphone.

▸ Dès que le téléphone a sonné, j'ai saisi le combiné (et non l'écouteur).

EFFRACTION — INFRACTION

Une effraction est le bris d'une serrure, d'une clôture, d'une fenêtre ou de tout autre accès à un lieu.

▸ Un vol avec effraction.

  Il est entré par effraction (et non par infraction).

Une infraction est la violation d'une loi ou d'un règlement.

▸ Le vol, avec ou sans effraction, est une infraction.

ÉGALER — ÉGALISER

Égaler signifie être égal à, en valeur ou en quantité.

▸ Ma déception égale votre dépit.

  Je vais faire mieux que lui, mais d'abord je dois l'égaler.

  Quatre et trois égalent (ou égale) sept.

  Guy a égalé le record de Jean.

Égaliser signifie rendre égal, aplanir, niveler. Dans les sports, égaliser est intransitif, signifiant marquer un but ou un point qui rend le pointage ou le score égal.

▸ Il faut égaliser ce terrain avant d'y construire notre maison.

  Nous avons égalisé (et non égalé le pointage) alors que nous étions sur le point de perdre le match.

ÉLABORER — DÉVELOPPER

Élaborer, c'est préparer, construire par un long travail de l'esprit.

▸ On devrait consacrer plus de temps à élaborer certains projets de loi.

Élaborer, au sens de développer, préciser, donner des détails, est un anglicisme.

▸ Il faudra que vous développiez davantage votre sujet de composition (et non que vous élaboriez davantage votre sujet de composition).

  Pourriez-vous préciser votre pensée (et non élaborer votre pensée) ?

Notez aussi :
- elle a une toilette recherchée (et non élaborée) ;
- c'est un programme très compliqué (et non très élaboré).

ÉLECTRIFIER – ÉLECTRISER

Électrifier signifie faire fonctionner en utilisant l'énergie électrique ou pourvoir d'énergie électrique.
▶ Électrifier le système de chauffage.
   Électrifier un chalet.

Électriser signifie communiquer des charges électriques ou, au figuré, animer, exalter.
▶ Cette clôture est électrisée pour empêcher les vaches de sortir de l'enclos.
   Le général de Gaulle électrisait les foules.

ÉLÉVATEUR – ASCENSEUR

Un élévateur est un appareil de levage pour des objets, des marchandises.
▶ Les élévateurs à grain de l'Ouest canadien sont bien connus.

L'installation qui sert à monter et à descendre des personnes dans les bâtiments n'est pas un élévateur, c'est un ascenseur.
▶ Nous avons pris l'ascenseur (et non l'élévateur) pour nous rendre au huitième étage.

ÉLIGIBLE — ADMISSIBLE

Éligible est un adjectif signifiant qui peut être élu.

▸ Tous les candidats inscrits sont éligibles à l'Assemblée nationale.

Les gens qui peuvent participer à un examen, à un concours ou qui sollicitent un emploi ne sont pas éligibles, ils sont admissibles. De même, l'éligibilité est-elle l'aptitude légale à être élu, tandis que l'admissibilité est le fait d'être **admissible**.

▸ Vous n'êtes pas admissible à cet emploi (et non vous n'êtes pas éligible à cet emploi).

Quelles sont les conditions d'admissibilité à ce concours (et non quelles sont les conditions d'éligibilité à ce concours) ?

ÉLUCIDER — ÉLUDER

Élucider, c'est rendre clair, compréhensible, éclaircir, expliquer.

▸ Nous devons élucider ce mystère.

Éluder, c'est éviter en passant à côté, escamoter.

▸ J'ai réussi à éluder cette difficulté.

EMBARQUER — MONTER

Employé comme verbe intransitif, embarquer signifie monter à bord d'un navire ou, par extension, à bord d'un train ou d'un avion. Pour un véhicule routier, on emploiera plutôt le verbe monter.

▸ Le train part bientôt, je dois embarquer.

Monte dans ma voiture (et non embarque dans ma voiture).

EMBRASER — EMBRASSER

Embraser, c'est incendier, illuminer ; au figuré, embraser signifie aussi remplir de ferveur, de passion ardente.

▸ Le soleil couchant a embrasé le ciel.

Votre amour embrase mon cœur.

Embrasser signifie serrer dans ses bras, donner un ou des baisers, choisir, saisir par la pensée, contenir ou englober.

▸ Je l'ai embrassée avec tendresse.

J'embrasse la cause des démunis.

Je songe à embrasser une nouvelle carrière.

Qui trop embrasse mal étreint.

ÉMETTRE — DÉLIVRER

Émettre signifie généralement produire, exprimer, formuler ou mettre en circulation, mais dans de nombreux cas, c'est un anglicisme qui doit être remplacé par un verbe plus précis. Ainsi, on n'émet pas un permis ou un passeport, on le délivre. On peut émettre des emprunts, des billets, des chèques, des opinions, des images, mais…

• on publie un communiqué (et non on émet un communiqué) ;
• on rend une décision (et non on émet une décision) ;
• on donne une directive (et non on émet une directive) ;
• on remet, on donne ou on délivre un reçu (et non on émet un reçu) ;
• on produit un rapport (et non on émet un rapport) ;
• on prononce ou on rend un verdict (et non on émet un verdict).

ÉMIGRER — IMMIGRER

Émigrer, c'est quitter son pays pour aller habiter dans un autre pays, tandis qu'immigrer signifie venir se fixer dans un nouveau pays, évoque le pays d'accueil. La nuance réside évidemment dans le point de vue. Immigrer s'emploie rarement, mais ce verbe a donné l'adjectif et le nom immigré qui, lui, est d'usage plus courant.

▶ Comme tout va mal au Moyen-Orient, je songe à émigrer.

Les immigrés sont de plus en plus nombreux chez nous.

La nuance est semblable pour émigrant et immigrant, émigration et immigration.

ÉMINENT — IMMINENT

Éminent signifie remarquable, très important, qui s'élève.

▶ C'est un personnage éminent.

Imminent signifie qui est sur le point de se produire. On associe souvent cet adjectif à un danger ou à une menace, mais on peut l'employer pour toute chose qui est tout près d'arriver, même si la notion de danger n'est pas présente.

▶ Avec les pluies du printemps, un désastre est imminent.

Le départ du comptable est imminent.

EMPATHIQUE — EMPHATIQUE

Empathique se rapporte à empathie, cette faculté intuitive de se mettre à la place d'autrui, de percevoir ce qu'il ressent.

▶ Un bon médecin sait se montrer empathique.

Emphatique se rapporte à emphase, exagération pompeuse dans le ton ou les termes employés.

▶ Les discours emphatiques plaisent davantage à ceux qui les prononcent qu'à ceux qui les écoutent.

Notez que l'expression « mettre l'emphase sur » est un anglicisme. Il faut dire mettre l'accent sur, insister sur, faire ressortir.

▸ Nous devons mettre l'accent sur nos qualités (et non mettre l'emphase sur nos qualités) plutôt que sur nos défauts.

ENCOURIR — ENGAGER

Encourir, c'est s'exposer à quelque chose de fâcheux, se mettre en situation de subir.

▸ Si tu pars, tu encourras la colère de ton père.

On ne peut encourir des frais ou des dépenses, on les engage.

▸ Les frais engagés (et non encourus) sont beaucoup trop élevés.

On n'encourt pas une dette, on la contracte. Et on n'encourt pas une perte, on la subit.

ENDOS — VERSO

Un endos est une mention portée au dos d'un chèque qui permet sa transmission par le signataire à un autre bénéficiaire. Endos est un synonyme d'endossement.

▸ Ce chèque requiert un endos ou un endossement pour être encaissé.

On emploie souvent, et fautivement, endos pour verso, particulièrement dans l'expression « à l'endos ». Il faut évidemment dire au verso, le verso étant l'envers d'une feuille de papier. On peut aussi dire : au dos.

▸ Veuillez signer au verso (et non à l'endos).

L'endos ou l'endossement d'un effet de commerce s'exécute au verso du document (et non à l'endos du document).

ENDOSSER — APPROUVER

Endosser signifie revêtir un vêtement, assumer la responsabilité de ou apposer sa signature au verso ou au dos d'un chèque.

▸ J'endosse mon manteau et je sors.

Je n'endosse pas cette erreur.

Je dois endosser le chèque que tu m'as remis.

On ne peut cependant endosser une opinion, un projet ou une décision, au sens où on ne fait que l'approuver.

▸ J'approuve les recommandations de votre rapport (et non j'endosse les recommandations de votre rapport).

ENDUIRE — INDUIRE

Enduire, c'est recouvrir une surface d'un enduit, d'un produit plus ou moins liquide.

▸ Enduire une affiche de colle.

Induire veut dire inciter ou conclure par un raisonnement qui va du particulier au général. On l'emploie le plus souvent dans la locution induire en erreur, qui signifie tromper.

▸ Il m'a induit en erreur.

ENFANTIN — INFANTILE

Enfantin signifie qui est propre à l'enfant, qui a le caractère de l'enfance. Il signifie aussi qui ne convient guère qu'à un enfant ou qui est du niveau d'un enfant, qui est facile.

▸ Le langage enfantin.

Ce député a tenu des propos enfantins.

Ce problème ? Mais c'est enfantin !

Infantile se rapporte à la première enfance ou signifie comparable à un enfant sur le plan intellectuel, affectif.

▸ Les maladies infantiles.
  Mon voisin a un comportement infantile.

ENGAGÉ — OCCUPÉ

Quand on ne peut réussir à obtenir la communication, on ne peut dire que la ligne téléphonique est engagée. Elle est occupée, elle n'est pas libre.

▸ La ligne est occupée (et non engagée).

ENGAGEMENT — RENDEZ-VOUS

Engagement a plusieurs sens, mais pas celui de rendez-vous.

▸ Je devrai m'absenter du bureau, j'ai un rendez-vous chez mon dentiste (et non un engagement et encore moins un appointement chez mon dentiste).

ENREGISTRER — RECOMMANDER

Payer des frais postaux supplémentaires pour garantir la livraison d'une lettre ou d'un colis, ce n'est pas enregistrer un envoi postal, c'est le recommander.

▸ Une lettre recommandée (et non une lettre enregistrée).
  Envoyer un colis en recommandé (et non un colis enregistré).

Une marque de commerce n'est pas enregistrée, elle est déposée. Une invention ou un nouveau modèle n'est pas enregistré, il est breveté.

ENREGISTRER (S') — INSCRIRE (S')

Donner son nom pour faire partie d'un groupe ou avoir accès à un service, ce n'est pas s'enregistrer, c'est tout simplement s'inscrire.

▸ S'inscrire à l'hôtel (et non s'enregistrer à l'hôtel).

S'inscrire dans un club sportif (et non s'enregistrer dans un club sportif).

ENREGISTREUSE — MAGNÉTOPHONE

Enregistreuse est le féminin de l'adjectif enregistreur, qui se rapporte à un appareil qui enregistre.

▸ Une caisse enregistreuse ; un baromètre enregistreur.

Enregistreuse n'est donc pas un nom pour désigner l'appareil lui-même, en particulier celui qui enregistre des sons. Cet appareil est un magnétophone.

▸ J'ai enregistré vos propos avec mon magnétophone (et non avec mon enregistreuse).

ENTRAÎNEMENT — FORMATION

L'entraînement désigne un ensemble d'exercices physiques préparatoires à l'exécution d'une activité, le plus souvent de nature sportive ou encore un apprentissage par habitude.

▸ Jouer au hockey requiert un bon entraînement.

Il s'est blessé durant une séance d'entraînement.

L'apprentissage qui fait appel au travail intellectuel et à l'acquisition de connaissances est la formation.

▸ La formation du personnel (et non l'entraînement du personnel).

Notez que période d'entraînement est un anglicisme pour période d'essai ou période d'apprentissage.

ÉNUMÉRATION – RECENSEMENT

Une énumération consiste à nommer, à énoncer un à un les différents éléments d'un tout. C'est aussi une liste de personnes, de choses énumérées, synonyme de répertoire.

▸ L'énumération des objets d'une collection.

Le dénombrement des électeurs en vue d'une élection n'est pas une énumération, c'est un recensement.

▸ Le recensement des électeurs (et non l'énumération des électeurs).

ÉPLUCHER – PELER

Éplucher, c'est nettoyer en enlevant les parties inutiles ou mauvaises en grattant, en coupant.

▸ Éplucher des pommes de terre.

Peler signifie dépouiller une peau de son poil, dépouiller un fruit ou un légume de sa peau.

▸ Peler une pêche.

ÉPURER – EXPURGER

Épurer veut dire rendre pur ou plus pur, améliorer ou encore éliminer certains éléments d'un groupe.

▸ Épurer de l'eau.
  Épurer les indésirables.

Expurger signifie abréger un texte en retranchant des éléments jugés contraires à la morale. Expurger équivaut à censurer.

▸ C'est une édition expurgée.

ERRATIQUE — INÉGAL

Erratique est un terme de médecine ou de géologie qui signifie irrégulier, intermittent. On peut aussi l'appliquer à des choses instables ou imprévisibles, mais pas à des personnes.

▶ Une fièvre erratique.

Un pouls erratique.

Des roches erratiques (déplacées sur une grande distance par d'anciens glaciers).

Des cours boursiers erratiques.

Un athlète dont les performances ne sont pas constantes n'est pas erratique, il est inégal, inconstant, irrégulier.

▶ Un joueur inconstant (et non un joueur erratique).

ÉRUPTION — IRRUPTION

Une éruption est une émission par un volcan de lave, de gaz ou encore une apparition subite de boutons, de rougeurs sur la peau, une émergence brutale.

▶ L'éruption du Vésuve en Italie.

Une éruption de boutons.

Une irruption est l'entrée, l'apparition soudaine d'une personne.

▶ Faire irruption dans une assemblée, dans un bureau.

ESCOMPTE — RABAIS

Un escompte désigne uniquement une réduction du montant d'une dette lorsque celle-ci est payée avant échéance.

▸ J'ai bénéficié d'un escompte pour avoir effectué mon règlement avant la date limite.

C'est sous l'influence de l'anglais qu'on emploie escompte pour désigner toute réduction de prix, qu'il s'agisse d'un rabais, réduction en raison d'une qualité inférieure ou d'un défaut de fabrication, d'une remise, réduction pour achat en grandes quantités ou de soldes, articles vendus à prix réduit.

▸ Venez profiter de rabais importants (et non d'escomptes importants) sur nos vêtements de sport.

En achetant 10 exemplaires, vous obtiendrez une remise de 25 % (et non un escompte de 25 %).

Les soldes de janvier (et non les escomptes de janvier).

Notez que escompte est masculin. Solde peut être un mot féminin ou masculin. Au féminin, solde désigne une rémunération de militaire. Au masculin, il désigne la différence entre le débit et le crédit ou une vente au rabais ; au masculin pluriel, soldes désigne des articles dont les prix ont été réduits.

ESCORTE — CALL-GIRL

Une escorte est un cortège d'honneur ou encore un groupe de personnes, parfois armées, qui accompagnent quelqu'un pour le protéger. Escorte désigne aussi un ou des navires de guerre protégeant des navires de transport.

▸ Les gardes du corps du premier ministre constituent son escorte.

L'anglais donne un sens plus étendu à escorte. On l'emploie pour désigner un partenaire de danse masculin, c'est-à-dire un cavalier, ou encore une hôtesse dans l'expression *escort agency* (bureau d'hôtesses).

Cet anglicisme fait maintenant partie du vocabulaire de la prostitution ; les hôtesses dont il est alors question sont en réalité des call–girls, mot accepté en français.

▸ Sur la photo, on voit la chanteuse et son compagnon (et non son escorte).

Exploiter un service de call–girls (et non une agence d'escortes).
Attention cependant à l'usage courant en français du terme hôtesse.

▸ Une hôtesse de l'air.

Cette femme est une hôtesse parfaite, elle reçoit très bien.

ESPADRILLES — BASKETS

Pendant longtemps, on a traduit *running shoes* par espadrilles. Ce terme ne s'applique qu'à des chaussures en toile dont la semelle est tressée de corde. La plupart des chaussures de sport sont des baskets, chaussures à tige haute, en toile renforcée et munies de semelles antidérapantes. À ceux qui n'aiment pas cet emprunt à l'anglais, pourtant francisé, je suggère tennis ou, tout simplement, chaussures de sport.

▸ On porte maintenant des baskets partout, au bureau, à l'école et même dans les grandes occasions.

Je me suis procuré des tennis bien confortables pour faire mes exercices quotidiens.

ÉTABLI — FONDÉ

On voit parfois des affiches ou des enseignes sur lesquelles on a inscrit : Lespérance & Fils, société établie en 1958. Établi est ici un anglicisme qui doit être remplacé par fondé : Lespérance & Fils, société fondée en 1958.

ÉTAMPE — TAMPON

Une étampe est un outil servant à imprimer des empreintes sur une surface. C'est un anglicisme au sens de tampon encreur.

▸ Il me faut le tampon (et non l'étampe) pour indiquer la date.

ÉTHIQUE — ÉTIQUE

Éthique est un nom ou un adjectif. Le nom signifie ensemble des règles de conduite tandis que l'adjectif veut dire qui concerne la morale.

▸ L'éthique a toujours été une préoccupation des journalistes.
  Toutes les religions ont des principes éthiques.

Étique (sans h) est un adjectif qui signifie très maigre.

▸ Ces enfants étiques sont sûrement victimes de malnutrition.

ÉTUDIANT — ÉLÈVE

Un étudiant est une personne qui étudie à l'université. Sous l'influence de l'anglais, on emploie à tort ce mot pour désigner tous ceux qui font des études, à quelque niveau que ce soit. C'est plutôt le mot élève qui convient. Écolier est un terme plus spécifique qui s'applique à un élève du niveau primaire, tandis que collégien s'applique à un élève qui fréquente un collège.

▸ Les cégépiens ne sont pas encore des étudiants, ce sont des collégiens.
  J'enseigne au secondaire à des centaines d'élèves (et non à des centaines d'étudiants).

ÉVAPORÉ — CONCENTRÉ

Évaporé au sens figuré veut dire écervelé, étourdi. On ne saurait donc appliquer cet adjectif à du lait. Du lait évaporé, c'est en fait du lait concentré.

▸ Mon voisin est plutôt évaporé, c'est une tête folle.

J'ai acheté une boîte de lait concentré (et non de lait évaporé).

ÉVENTAIL — VENTILATEUR

Un éventail est un accessoire portatif avec lequel on agite l'air pour s'éventer. L'appareil électrique qui aère une pièce n'est pas un éventail, c'est un ventilateur.

▸ Par temps de canicule, un simple éventail ne suffit pas, il faut un ventilateur.

ÉVENTUEL — ULTÉRIEUR

Éventuel signifie possible ou hypothétique, qui peut se produire.

▸ Il est le successeur éventuel du chef actuel.

Éventuel, au sens de ultérieur, qui arrivera dans l'avenir, est un anglicisme.

▸ Nous souhaitons un changement ultérieur (et non éventuel).

ÉVENTUELLEMENT — PLUS TARD

Éventuellement signifie le cas échéant ; il y a, tout comme dans éventuel, une idée de possibilité, d'incertitude dans cet adverbe.

▸ Ces provisions serviront éventuellement.

On ne peut donc employer éventuellement pour quelque chose qui va se produire à coup sûr dans l'avenir ; dans ce cas, on peut employer plus tard, par la suite, finalement, un jour ou l'autre, ultimement.

▸ Je terminerai ce travail au plus tard mardi (et non éventuellement).

ÉVIER – LAVABO

Un évier est une cuve munie d'une alimentation en eau, généralement située dans la cuisine, qui sert notamment à laver la vaisselle. Dans la salle de bains, ce qui sert à faire sa toilette est plutôt un lavabo.

▸ Je rince les verres dans l'évier, mais je me débarbouille dans le lavabo.

ÉVOQUER – INVOQUER

Évoquer signifie rappeler ou faire penser à, décrire, montrer, rendre présent à l'esprit.

▸ J'évoque de vieux souvenirs.

Ses propos évoquent des images fortes.

Invoquer, c'est appeler à son secours, avoir recours à ou s'appuyer sur, solliciter l'aide, donner comme raison, implorer.

▸ Invoquer Dieu, c'est le prier.

J'invoque les dispositions de cette loi pour défendre mes droits.

Il a invoqué une distraction pour expliquer l'accident.

EXALTER – EXULTER

Exalter signifie glorifier, louer, faire l'éloge ou encore enthousiasmer, exciter, soulever, célébrer.

▸ Exalter les qualités d'un héros.

Sa performance nous a exaltés.

Exulter signifie éprouver une joie intense.

▸ Comme sa performance nous a exaltés, nous exultons.

EXÉCUTIF – CADRE SUPÉRIEUR

L'exécutif est l'organe chargé de faire appliquer les lois. En tant qu'adjectif, exécutif se rapporte exclusivement au pouvoir de l'État dans la mise en œuvre des lois. C'est par influence de l'anglais qu'on associe le mot exécutif à l'entreprise ou aux affaires. On dira ainsi :

▸ Un cadre supérieur (et non exécutif) ;

Le bureau ou le conseil de direction (et non l'exécutif) ;

Secrétaire administratif ou secrétaire de direction (et non secrétaire exécutif) ;

Vice-président directeur ou premier vice-président (et non vice-président exécutif).

EXPLICITER – EXPLIQUER

Expliciter consiste à rendre plus clair, plus compréhensible, à formuler en détail.

▸ Veuillez expliciter votre pensée.

Expliquer signifie faire comprendre, justifier ou faire un commentaire.

▸ Je vais vous expliquer ce qui s'est passé.

EXPRÈS – EXPRESS

Exprès peut être un adjectif ou un adverbe. L'adjectif signifie qui exprime formellement la pensée de quelqu'un ; au féminin, on écrit expresse. Il peut aussi se rapporter à une lettre ou à un colis qui doit être remis à son destinataire avant l'heure de la distribution ordinaire ; dans ce cas, le s final se prononce et il est invariable.

▸ Les conditions expresses d'un contrat.

Une lettre exprès (invariable).

Comme adverbe, exprès signifie avec intention spéciale, à dessein.

▸ Ils sont venus exprès pour vous.

Express, adjectif ou nom invariable, signifie à très grande vitesse.

▸ Train express.

L'express de 11 h (en parlant de l'autobus).

EXTENSION — PROLONGATION

Une extension est un allongement, un accroissement, la propagation de quelque chose ou la modification du sens d'un mot. Ce terme ne désigne pas l'action d'ajouter à une durée déterminée ; dans ce cas, il s'agit d'une prolongation ou d'un délai. L'extension se rapporte à l'espace, non au temps.

▸ Les exercices physiques comportent des mouvements d'extension.

La croissance de notre entreprise requiert une extension du marché.

Il faut redouter l'extension de cette épidémie.

J'aurais besoin d'une prolongation (et non d'une extension) pour payer ma dette au complet.

Noter également :

• poste (et non extension ou local) dans le cas d'une ligne téléphonique intérieure ;

• rallonge (et non extension) dans le cas d'un fil électrique.

EXTRA — SUPPLÉMENT

En français, extra peut être un nom ou un adjectif. Le nom signifie quelque chose d'inhabituel, d'extraordinaire.

▸ Ce soir, nous allons faire un petit extra pour ton anniversaire.

L'adjectif extra signifie supérieur, extraordinaire.

▸ C'est un mets extra.

En anglais, *extra* signifie en plus, en supplément ou, au pluriel, des frais, des dépenses supplémentaires.

▸ Le café est en supplément (et non en extra). Il y a toujours des suppléments, des petits à–côtés à payer (et non des petits extra).

F

FACILITÉS — INSTALLATIONS

Au pluriel, facilités désigne des commodités, des conditions spéciales qui permettent de faire quelque chose facilement ; on parle aussi de facilités de paiement au sens d'échelonnement des paiements.

▶ J'ai toutes facilités pour obtenir les renseignements nécessaires.

Facilités, au sens de installations, locaux, services, est un anglicisme.

▶ Ces installations sportives (et non ces facilités sportives) ne sont pas adéquates pour les grandes compétitions.

Cette nouvelle école dispose de tous les locaux voulus (et non de toutes les facilités voulues) pour l'enseignement.

Dans cette municipalité, les services (et non les facilités), aqueduc, égouts, ramassage des ordures, recyclage, enlèvement de la neige, sont de première classe.

FACTURE — ADDITION

Une facture est une pièce comptable indiquant la quantité, la nature et les prix des marchandises vendues ou des services exécutés. Toutefois, au restaurant, la facture porte un nom précis : l'addition. Et à l'hôtel, c'est la note.

▶ Le client veut sa facture.

Garçon ! L'addition, s'il vous plaît !

Vos appels téléphoniques sont inclus dans votre note.

FARD — FART

Le fard est un produit de maquillage, tandis que le fart est un enduit pour les skis qui les rend plus glissants. On peut prononcer le t de fart pour bien le distinguer du fard.

▸ On trouve des fards de toutes les couleurs.

La quantité de fart à appliquer sur les skis varie selon l'état des pistes.

FERTILISER — FÉCONDER

Fertiliser, c'est rendre fertile une terre, un sol.

▸ Généralement, on fertilise une terre avec des engrais.

Fertiliser ne peut s'appliquer à une personne ou à un animal ; dans ce cas, il faut dire féconder.

▸ Il faut un taureau pour féconder une vache (et non pour fertiliser une vache).

La fécondation *in vitro* (et non la fertilisation *in vitro*).

FÊTE — ANNIVERSAIRE

Une fête est un ensemble de réjouissances organisées par une collectivité ou un individu. Particulièrement, fête désigne certaines journées de congé ou de réjouissances publiques associées à une catégorie de personnes, à un fait religieux, à un symbole…

▸ La fête nationale.

La fête du Travail.

La fête des Mères.

La fête de Noël.

Un anniversaire rappelle un événement arrivé à pareil jour une ou plusieurs années auparavant. On peut souligner l'anniversaire d'un événement heureux ou malheureux.

▸ Mardi prochain, c'est leur cinquième anniversaire de mariage.

Un anniversaire est souvent l'occasion d'une fête. Quand il s'agit d'un anniversaire de naissance, on souhaite Joyeux anniversaire ! plutôt que Bonne fête !

FEU — INCENDIE

Le feu est un dégagement de chaleur, de lumière et de flammes accompagnant la combustion vive. Il désigne aussi les matières combustibles qui brûlent. Mais quand il prend des proportions importantes, souvent involontairement, et qu'il cause des dégâts, il faut employer le mot incendie.

▶ Nous avions fait un feu de camp qui s'est malheureusement terminé en incendie.

C'est en hiver que se produisent les incendies (et non les feux) les plus meurtriers.

En été, les incendies de forêt (et non les feux de forêt) ravagent plusieurs régions.

Incendie est un mot masculin ; *un* gros incendie.

FÈVE — HARICOT

Fèves et haricots sont tous deux des légumineuses mais, au Canada, on ne trouve généralement que des haricots. Sous l'influence de l'anglais (*bean* veut dire à la fois fève et haricot), on parle souvent de fèves ou de petites fèves pour désigner des haricots. La locution fèves au lard est toutefois passée dans l'usage, même s'il s'agit d'un plat de haricots secs cuits à petit feu.

▶ Je préfère les haricots jaunes (et non les fèves jaunes) aux haricots verts (et non aux fèves vertes).

FIGURER — CALCULER

En tant que verbe transitif, figurer signifie représenter par la peinture, un symbole.

▸ On figure souvent l'amour par un Cupidon ailé qui tire des flèches.

Figurer n'a pas le sens de calculer, estimer, prévoir que lui donne l'anglais.

▸ Je suis en train de calculer les dépenses (et non de figurer les dépenses).

Je prévois dépenser 100 $ (et non je figure dépenser 100 $).

Le gouvernement estime (et non figure) que le déficit va baisser.

FILER — SENTIR (SE)

On peut filer de la laine, le temps peut filer, mais filer, en français, ne signifie pas se sentir, avoir l'impression.

▸ Je ne me sens pas bien (et non je ne file pas).

Comment ça va (et non comment ça file) ?

Je ne me sentais pas en état de parler (et non je ne filais pas pour parler).

Les expressions filer doux, filer le parfait amour et filer un mauvais coton sont parfaitement françaises.

FILIÈRE — CLASSEUR

Une filière est une succession de degrés à franchir pour atteindre un résultat. Filière est aussi synonyme de réseau.

▸ Pour parvenir aux plus hautes fonctions en politique, il faut suivre la filière.

La filière de la drogue.

Filière, au sens de classeur, ce meuble où l'on classe les dossiers, est un anglicisme.

▸ Je dois ranger ces documents dans le classeur (et non dans la filière).

FONDS — PROVISION

Bien que fonds désigne de l'argent disponible, on ne peut l'employer pour désigner une somme déposée à la banque pour garantir le paiement de chèques. On dira ainsi qu'un chèque est sans provision (et non sans fonds) ou qu'il n'y a pas de provision suffisante (et non qu'il n'y a pas assez de fonds). Dans ce sens, fonds prend toujours un s, même au singulier.

▸ Un fonds de solidarité.

FORGER — CONTREFAIRE

Forger peut vouloir dire inventer faussement mais non imiter frauduleusement. Dans ce cas, c'est contrefaire qu'il faut employer.

▸ J'ai forgé un prétexte pour expliquer mon absence.

Ce n'est pas moi qui ai contrefait sa signature (et non qui ai forgé sa signature).

FORMEL — OFFICIEL

Formel signifie qui est formulé avec précision, qui concerne la forme seulement, qui est clair ou catégorique.

▸ Sa politesse est toute formelle.

Une déclaration formelle ne laisse aucun doute.

Le gardien est formel : il n'a jamais quitté son poste.

Formel, au sens de officiel, est un anglicisme.

▸ Les deux chefs d'État ont eu un entretien officiel (et non un entretien formel).

Notez aussi :
- style académique ou empesé d'un orateur (et non style formel) ;
- art conventionnel d'un peintre (et non art formel) ;
- tenue de soirée (et non tenue formelle) ;
- séance statutaire d'un comité (et non séance formelle).

FOURNAISE — CHAUDIÈRE

Le mot fournaise, en français, s'emploie presque uniquement pour désigner un endroit où il fait très chaud.

▸ Mon appartement est surchauffé ; c'est une vraie fournaise.

Dans tous les autres cas, fournaise est un anglicisme qu'on peut le plus souvent remplacer par chaudière. Une chaudière est en effet un appareil de chauffage.

▸ L'équipement d'un système de chauffage central comporte une chaudière (et non une fournaise).

Une chaudière à mazout (et non une fournaise à l'huile).

FRAPPER — HEURTER

Bien que frapper signifie donner un coup, ce verbe ne saurait s'appliquer à un véhicule qui heurte violemment un obstacle ou une personne. Heurter est plus juste, mais on peut utiliser d'autres verbes selon les circonstances : renverser, percuter, emboutir, ou même écraser.

▸ La voiture a heurté un piéton (et non a frappé un piéton).

L'autobus a renversé un cycliste (et non a frappé un cycliste).

La moto a percuté contre un mur (et non a frappé un mur).

J'ai failli me faire écraser (et non me faire frapper) en traversant la rue.

Le camion a embouti (et non a frappé) la petite voiture immobilisée sur l'accotement.

L'expression « frapper un nœud » est aussi un anglicisme qu'on peut remplacer par se heurter à un obstacle.

FRIPER — FROISSER

Friper et froisser ont des sens qui sont proches, mais il y a une nuance. Froisser signifie faire prendre de faux plis à un tissu, tandis que friper signifie défraîchir en froissant. Froisser implique quelque chose de passager, d'accidentel, tandis que friper évoque plutôt la négligence.

▸ En descendant de la voiture, j'ai constaté que mon pantalon était froissé.

Sa robe peut bien être fripée, elle la porte depuis une semaine.

FRUSTE — RUSTRE

Fruste est un adjectif qui signifie rude, grossier, tandis que rustre, qui peut être aussi un adjectif, est le plus souvent employé comme nom, dans le sens de personnage grossier. La parenté phonétique de ces deux mots risque de créer une confusion orthographique. On peut être tenté d'écrire frustre (avec un r) parce qu'on a en tête rustre.

▸ Ce rustre a des manières frustes.

G

GALERIE — BALCON

Une galerie est un passage couvert en longueur aménagé à l'intérieur ou à l'extérieur d'un bâtiment pour circuler. Une galerie d'art est un lieu d'exposition d'œuvres d'art. Une galerie marchande est un espace couvert sur lequel s'ouvrent des boutiques ; on peut dire aussi centre commercial (et non centre d'achats).

▶ Une galerie entoure notre maison.

On nous invite à la galerie pour un vernissage.

Le casse-croûte des galeries Normandie est bien coté.

Un balcon est une plate-forme de faible largeur munie d'un garde-fou, en saillie sur la façade d'un bâtiment et qui communique avec l'intérieur.

▶ J'ai aménagé un petit jardin sur le balcon de mon appartement (et non sur la galerie de mon appartement).

GARAGE — STATION-SERVICE

Un garage est un lieu couvert qui sert d'abri aux véhicules ou une entreprise d'entretien et de réparation des véhicules. Un poste de distribution d'essence qui n'est pas en même temps un atelier de réparation de véhicules est une station-service. Au pluriel, on écrit stations-service ou stations-services.

▶ J'ai transformé mon garage en atelier de bricolage.

Je dois conduire ma voiture au garage pour une mise au point.

Je fais le plein à une station-service.

GAZ — ESSENCE

Le gaz est un corps fluide. Il ne peut donc désigner le combustible liquide qui fait fonctionner les véhicules moteurs. Ce combustible, c'est de l'essence. Gazoline est un autre anglicisme à remplacer par essence. Gazer est à remplacer par faire le plein.

▸ L'oxygène est un gaz.

J'ai besoin d'essence (et non de gaz ou de gazoline) ; je dois donc aller faire le plein (et non gazer).

GÉRANT — DIRECTEUR

Un gérant est une personne qui gère pour le compte d'autrui.

▸ Un gérant d'immeubles.

Sous l'influence de l'anglais, gérant en est venu à désigner plusieurs autres fonctions, notamment des fonctions de direction. C'est pourquoi on peut le remplacer souvent par directeur, mais pas dans tous les cas.

▸ Directeur de banque (et non gérant de banque).

Directeur commercial (et non gérant des ventes).

Directeur général (et non gérant général).

Directeur du personnel (et non gérant du personnel).

Dans le domaine artistique, un gérant d'artiste est en français un imprésario.

▸ René Angelil est l'imprésario (et non le gérant) de Céline Dion.

Dans le domaine commercial, on parlera d'un chef de service plutôt que d'un gérant de département et d'un chef de produits plutôt que d'un gérant de produits.

GILET — VESTE

Un gilet est un vêtement court et sans manches boutonné sur le devant et qui se porte sous le veston, ou un tricot à manches longues qui s'ouvre sur le devant.

▸ Ce costume trois-pièces inclut un gilet (et non une petite veste).

Il porte un gilet très élégant.

Une veste est un vêtement court comportant des manches, ouvert à l'avant, qui se porte sur une chemise ou sur un tricot.

▸ Cette veste de sport (et non ce gilet de sport) vous donne un air décontracté.

GOUVERNEUR — ADMINISTRATEUR

Au Canada, le gouverneur est une personne qui représente la reine (ou le roi) d'Angleterre.

▸ Le gouverneur général du Canada est nommé par le premier ministre.

Gouverneur est un anglicisme au sens de administrateur, membre d'un conseil d'administration.

▸ Les administrateurs de la Ligue nationale de hockey (et non les gouverneurs de la Ligue nationale de hockey).

GRADATION — GRADUATION

Gradation signifie progression par degrés successifs, le plus souvent ascendante.

▸ La gradation des notes de la gamme.

Avancer par gradation, c'est-à-dire graduellement.

Graduation signifie division en degrés d'égale longueur sur un instrument de mesure.

▸ La graduation d'un thermomètre.

La graduation d'une boussole.

Graduation est un anglicisme au sens de collation des grades au niveau universitaire ou remise des diplômes, niveaux secondaire et collégial. Un bal de graduation est en français un bal de fin d'études.

Notez que, au Québec, on emploie couramment l'adjectif finissant comme nom :

▸ Les finissants de l'école.

Le bal des finissants.

Mais finissant est en fait un adjectif.

▸ Les élèves finissants.

GRADÉ — GRADUÉ

Gradé signifie pourvu d'un grade.

▸ Un militaire gradé.

Gradué signifie divisé en degrés.

▸ Un thermomètre gradué.

Gradué, au sens de diplômé, est un anglicisme.

▸ Un diplômé du Conservatoire Lassalle (et non un gradué).

GRANDEUR — TAILLE

La grandeur est la dimension en hauteur, en longueur et en largeur de quelque chose. Le mot taille peut avoir le même sens, mais il a aussi un sens plus restrictif, désignant la hauteur du corps humain. Évidemment, la taille est aussi une partie du corps qui se situe entre les côtes et les hanches. La taille désigne par ailleurs la grandeur d'un vêtement.

▸ La grandeur de ce bâtiment ne convient pas.

La taille de celui-ci est beaucoup plus appropriée.

Il est grand pour son âge. Quelle est sa taille (et non quelle est sa grandeur) ?

Elle a une taille de guêpe.

Avant mon régime, je portais un complet de taille 42.

GRAVELLE — GRAVIER

Gravelle est un vieux terme de médecine qui désigne un petit calcul rénal ou la maladie qui cause ces calculs et que l'on appelle aujourd'hui « lithiase ». C'est un anglicisme au sens de gravier, petits cailloux dont on recouvre les chemins.

▸ Une route de gravier (et non une route de gravelle).

GRIL — GRILLE

Un gril est un ustensile ou un appareil constitué de tiges métalliques parallèles ou d'une plaque de métal strié pour faire cuire à vif des aliments. En ce sens, le barbecue est un gril mobile qui fonctionne à l'air libre ; notez qu'on écrit barbecue et non BBQ. En anglais : *grill*.

▸ Les aliments cuits sur le gril sont savoureux.

Une grille est un assemblage de barreaux fermant une ouverture ou établissant une séparation, un châssis métallique disposé pour recevoir le combustible solide d'un foyer ou un quadrillage sur papier destiné à divers usages.

▸ La grille d'un guichet.
   Une grille de mots croisés.

GRILLAGE — MOUSTIQUAIRE

Un grillage est un treillis métallique, mais le fin quadrillage qu'on place aux fenêtres et aux portes pour empêcher les moustiques et les mouches d'entrer porte un nom plus précis : c'est une moustiquaire. Notez bien le genre féminin de moustiquaire ; on dit un moustique, mais une moustiquaire.

▸ Le poulailler est ceint d'un grillage.
   Les moustiquaires (et non les grillages) sont indispensables au mois de juin quand sortent les maringouins.

HABILETÉ — HABILITÉ

Habileté est un nom qui signifie savoir-faire, adresse, dextérité.

▸ Ce joueur fait preuve d'une habileté étonnante (et non d'une habilité étonnante).

Habilité signifie aptitude légale à faire quelque chose. Le participe passé
du verbe habiliter, habilité, veut dire apte légalement à faire un acte
juridique.

▸ L'habilité à contracter (et non l'habileté à contracter) est fonction de
l'âge.
Il est habilité à signer au nom de son entreprise.

HABILETÉS — APTITUDES

En français, habileté s'emploie rarement au pluriel. Par confusion avec
habilité et sous l'influence de l'anglais (abilities), on voit souvent
habiletés au sens de aptitudes, talents. Ces derniers termes sont
évidemment préférables.

▸ Il a toutes les aptitudes requises (et non toutes les habiletés requises).
Le succès de notre équipe repose sur son talent (et non sur ses
habiletés).

HABIT — COSTUME

Un habit est, entre autres, un vêtement de cérémonie dont la veste à revers de soie est à longues basques à l'arrière.

▸ L'habit est de mise pour le bal du Gouverneur.

Habit est un archaïsme pour désigner un vêtement masculin composé d'un pantalon et d'une veste. Le mot juste est costume ou complet.

▸ Ce costume lui va très bien (et non cet habit lui va très bien).

HIBERNER — HIVERNER

Hiberner, c'est passer l'hiver dans un état d'engourdissement, de sommeil.

▸ En hiver, les marmottes hibernent.

Hiverner, c'est passer l'hiver à l'abri.

▸ Bon nombre de Québécois hivernent en Floride et au Mexique.

HUILE — MAZOUT

Le combustible liquide utilisé pour le chauffage domestique ou industriel provient du pétrole (en anglais *oil*), mais ce n'est pas de l'huile en français. C'est du mazout.

▸ Cet hiver, nous aurons besoin de beaucoup de mazout (et non de beaucoup d'huile, d'huile à chauffage ou d'huile à fournaise) pour chauffer la maison.

HUMAIN — HUMANITAIRE

L'adjectif humain se rapporte à l'homme en général, tandis que humanitaire a un sens plus restrictif : il signifie qui vise le bien-être de l'humanité. Ainsi peut-on parler de secours humanitaires ou d'aide humanitaire, mais on ne peut qualifier une tragédie d'humanitaire ; elle est tout simplement humaine, puisqu'elle met en cause des êtres humains.

I

IDENTIFIER — DÉTERMINER

Identifier, c'est établir l'identité de quelqu'un, la nature de quelque chose. Dans le cas d'une personne, c'est la reconnaître, dire qui elle est. Dans le cas d'une chose, c'est reconnaître à quelle espèce elle appartient.

▸ Je le connais, mais je n'arrive pas à l'identifier.

 J'ai identifié cet arbre : c'est un frêne d'Amérique.

Sous l'influence de l'anglais, identifier est employé souvent dans le sens de déterminer, définir, désigner, déceler, découvrir, proposer.

▸ Tu dois maintenant déterminer tes objectifs (et non identifier tes objectifs).

 Nous devons découvrir le problème (et non identifier le problème) et proposer des correctifs (et non identifier des correctifs).

IDENTIFIER (S') — NOMMER (SE)

S'identifier, c'est se mettre à la place de. Cette forme se construit avec à ou avec.

▸ Cet écrivain s'identifie à (ou avec) ses personnages.

On ne peut s'identifier pour donner son identité. On se nomme, tout simplement.

▸ Veuillez vous nommer (et non vous identifier).

IMPACT — EFFET

Au sens strict, un impact est un choc brutal, violent.

▸ Dans une collision, l'impact est terrible.

On emploie souvent impact au sens de effet.

▸ Sa candidature aura un impact certain sur le résultat des élections. Ce changement n'aura aucun effet (et non aucun impact).

IMPLIQUÉ — CONCERNÉ

Être impliqué, c'est se trouver compromis dans une situation fâcheuse, illégale ou être engagé dans une cause, dans une action.

▸ Je me suis trouvé impliqué dans cet accident.

Je suis impliqué dans un mouvement pour la promotion des droits des enfants.

Impliqué, est au sens de concerné, un anglicisme.

▸ Il faudrait en informer toutes les personnes concernées (et non impliquées).

IMPRUDENT — IMPUDENT

Imprudent signifie qui manque de prudence, qui manifeste de l'inconséquence.

▸ Les piétons sont souvent imprudents quand ils traversent la rue.

Impudent signifie insolent, effronté, qui manifeste une audace cynique.

▸ Il a tenu des propos impudents.

IMPUISSANT — STÉRILE

On confond parfois impuissant et stérile dans le domaine de la sexualité. Pourtant, impuissant ne s'applique qu'à un homme incapable d'accomplir l'acte sexuel sur le plan physique.

▸ Avec l'âge, il est devenu impuissant.

Stérile peut s'appliquer aussi bien à un homme qu'à une femme : celui ou celle qui est stérile est inapte à la reproduction.

▸ Ce n'est pas sa femme qui ne peut avoir d'enfants, c'est lui qui est stérile.

Un homme stérile n'est pas forcément impuissant.

INCIDENCE — FRÉQUENCE

Incidence, en français, signifie effet, conséquence, influence.

▸ L'incidence des taux d'intérêt sur l'économie.

Incidence, au sens de fréquence, est un anglicisme.

▸ La fréquence du cancer du poumon chez les fumeurs (et non l'incidence du cancer du poumon chez les fumeurs).

INCISE — INCISIVE

Incise est un terme de grammaire qui s'applique à une proposition intercalée dans une phrase. On peut l'employer comme nom ou comme adjectif.

▸ La multiplication des incises ou des propositions incises alourdit le style.

Le nom incisive désigne une dent, tandis que l'adjectif est le féminin de incisif qui signifie coupant, mordant.

▸ Des répliques incisives.

INCLINAISON – INCLINATION

L'inclinaison est l'état de ce qui est incliné par rapport à l'horizon.

▸ L'inclinaison d'un toit.

L'inclination est un mouvement affectif et spontané vers un objet ou une fin.

▸ L'inclination au bonheur.

Une certaine inclination à mentir.

INCONSISTANCE – INCONSTANCE

L'inconsistance est une absence de consistance, de fermeté, de solidité.

▸ L'inconsistance des accusations a entraîné son acquittement.

L'inconstance est une tendance à changer d'idée, d'opinion, de sentiment, de conduite.

▸ Il fait preuve d'inconstance dans ses attitudes.

INCONTRÔLABLE – IMPRÉVU

Incontrôlable signifie qui ne peut être vérifié, maîtrisé.

▸ Son témoignage est incontrôlable.

Incontrôlable, au sens de imprévu, imprévisible, est un anglicisme.

▸ Des circonstances imprévues (et non incontrôlables) nous ont empêchés de vous faire parvenir ce colis.

INEFFABLE – IMPAYABLE

Ineffable signifie extraordinaire, sublime, indescriptible, inexprimable. Cet adjectif s'applique généralement à des choses agréables.

▸ Sa beauté est ineffable.

Un bonheur ineffable.

Une personne qui se couvre de ridicule régulièrement et dont on se moque ne saurait être ineffable. On dira plutôt qu'elle est impayable, qui signifie très bizarre ou très comique.

▸ Cet impayable animateur de tribune téléphonique (et non cet ineffable animateur de tribune téléphonique).

INFORMEL — OFFICIEUX

Informel signifie qui est sans forme définie, qui n'obéit pas à des règles déterminées.

▸ C'est de l'art informel.

Officieux qualifie entre autres un communiqué fait à titre privé sans garantie officielle.

▸ Le résultat officieux d'un sondage.

Officiel signifie ce qui émane d'une autorité reconnue.

▸ Un document officiel.

Informel est un anglicisme au sens de officieux, non officiel, sans céré-monie.

▸ Une réunion officieuse (et non informelle).

INITIER — INSTAURER

En français, initier est synonyme d'instruire, d'enseigner. On initie quelqu'un à quelque chose.

▸ Laissez-moi vous initier aux rudiments de l'astrologie.

Sous l'influence de l'anglais, initier est de plus en plus employé dans la francophonie pour instaurer, commencer, amorcer, entreprendre. On lui préférera ces verbes.

▶ Nous allons instaurer des mesures de restriction (et non initier des mesures de restriction).

Elle a lancé une mode (et non initié une mode).

Nous entreprendrons un nouveau programme cet automne (et non initierons un nouveau programme cet automne).

INTÉGRAL — INTÉGRANT

Intégral veut dire entier ou complet, qui ne fait l'objet d'aucune coupure.

▶ Une édition intégrale.

Un bronzage intégral.

Intégrant se dit d'un élément d'un tout. On l'emploie exclusivement dans la locution partie intégrante.

▶ Le cœur fait partie intégrante (et non partie intégrale) du corps humain.

INTÉGRALITÉ — INTÉGRITÉ

L'intégralité, c'est le caractère de ce qui est entier, la totalité de.

▶ L'intégralité d'une œuvre.

L'intégralité d'une somme.

Intégrité est synonyme de probité, d'honnêteté.

▶ Cet employé fait preuve d'une intégrité irréprochable.

INTERMISSION — ENTRACTE

Intermission est un terme médical synonyme d'intermittence ou de rémission ; c'est l'intervalle entre les accès d'une maladie. L'interruption entre deux parties d'un spectacle n'est donc pas une intermission, c'est un entracte. Attention au genre masculin de entracte.

▶ C'était très mauvais, je suis parti à l'entracte (et non à l'intermission).

Notez que entracte s'écrit en un seul mot sans apostrophe.

INTRODUIRE – PRÉSENTER

Introduire, c'est faire entrer, insérer, faire adopter par l'usage.

▸ Introduire un visiteur dans le bureau.

Introduire une clé dans une serrure.

Introduire une mode.

Introduire, au sens de présenter, est un anglicisme.

▸ Présenter un amendement à un projet de loi (et non introduire un amendement à un projet de loi).

J'aimerais vous présenter ma femme (et non introduire ma femme).

INVENTAIRE – STOCK

Curieusement, quand on emploie le mot inventaire plutôt que stock pour désigner les marchandises, c'est inventaire qui est l'anglicisme et non stock, de consonance anglaise mais qui est français depuis plus d'un siècle. En français, l'inventaire, c'est le dénombrement ou la liste des marchandises, des valeurs, des créances et des dettes d'une entreprise commerciale.

▸ Nous devons faire l'inventaire au moins une fois par année.

Laissez-moi consulter l'inventaire.

Les marchandises elles-mêmes, c'est le stock ou encore les stocks. On peut aussi parler de l'approvisionnement ou employer d'autres termes, comme réserve, dépôt, magasin.

▸ Nous gardons toujours un grand approvisionnement (et non un gros inventaire).

Nous avons beaucoup de marchandises en magasin (et non en inventaire).

Combien l'éditeur a-t-il d'exemplaires de ce livre en réserve (et non en inventaire) ?

Nous sommes en rupture de stock (et non en bris d'inventaire).

Quels sont nos stocks courants (et non notre inventaire de plancher) ?

IRRÉCONCILIABLE — INCONCILIABLE

Irréconciliable veut dire qu'on ne peut réconcilier, remettre en harmonie.

▸ Après leur querelle, ils semblent irréconciliables.

Irréconciliable, pour inconciliable, c'est-à-dire opposé, est un anglicisme. Inconciliable se dit de personnes ou de choses qui s'excluent réciproquement.

▸ Des opinions inconciliables (et non irréconciliables).

ISOLATION — ISOLEMENT

L'isolation est l'action d'isoler un corps contre le bruit, la chaleur, le froid, etc. C'est aussi l'ensemble des matériaux utilisés pour isoler un immeuble.

▸ L'isolation des maisons est indispensable au Québec.

L'isolement est l'état d'une personne qui est isolée ou l'état d'une habitation isolée.

▸ Il a sombré dans l'isolement le plus total.

   L'isolement d'une maison dans la forêt.

ITEM — ARTICLE

Sous l'influence de l'anglais, on emploie item indifféremment pour désigner toutes sortes d'éléments faisant partie d'un tout. Le plus souvent, on l'emploie au sens d'article, objet de commerce ou point d'un ordre du jour.

▸ Cet article se vend bien (et non cet item se vend bien).

   Il y a huit points à l'ordre du jour (et non huit items à l'ordre du jour).

   Je ne partage pas votre opinion sur cette question (et non sur cet item).

Il se montre sévère au chapitre de la discipline (et non à l'item de la discipline).

Quel est le dernier numéro du programme (et non quel est le dernier item du programme) ?

C'est un détail qui m'a échappé (et non un item qui m'a échappé).

Mon disque dur contient plusieurs éléments (et non plusieurs items).

J

JOINDRE — ADHÉRER

Joindre signifie unir, mettre ensemble, ajouter à une chose, allier, établir une communication entre ou encore ajouter. Se joindre veut dire se réunir, s'unir, participer.

▸ Joindre les mains.

Joindre (et non rejoindre) quelqu'un au téléphone.

Joindre l'utile à l'agréable.

Joignez-vous à moi pour ce travail.

Joindre, au sens de adhérer, devenir membre, entrer au service de, se joindre à, est un anglicisme.

▸ Nous avons adhéré massivement à ce nouveau parti (et non nous avons joint ce nouveau parti ou joint les rangs de ce nouveau parti).

Je suis entré au service de cette société (et non j'ai joint cette société) il y a trois ans.

Je désire me joindre aux signataires de cette pétition (et non joindre les signataires de cette pétition).

JUDICIAIRE — JURIDIQUE

Judiciaire est un adjectif qui se rapporte à la justice et à son administration.

▸ Un casier judiciaire.

Une erreur judiciaire.

Juridique se rapporte plutôt au droit.

▸ La situation juridique.

Un conseiller juridique.

Un vide juridique est une absence de législation sur une situation donnée.

JUMELLE — LONGUE-VUE

Une jumelle est un instrument d'optique composé de deux lunettes et deux tubes. Généralement, on dit des jumelles, au pluriel, mais on ne peut dire une paire de jumelles pour désigner un seul instrument.

▸ De bonnes jumelles sont indispensables pour observer les oiseaux.

Une longue-vue est une lunette d'approche à un seul tube. Notez le trait d'union. Au pluriel, on écrit des longues-vues.

▸ Au sommet du mont Royal, on peut admirer la ville de Montréal à l'aide de longues-vues publiques.

JUNIOR — DÉBUTANT

En français, on emploie junior surtout comme adjectif pour qualifier quelque chose destiné aux jeunes ou pour désigner une catégorie sportive selon un groupe d'âge.

▸ Une mode junior.

Il y a des ligues de catégorie junior dans plusieurs sports.

Junior au sens de débutant, apprenti ou stagiaire est un anglicisme mais d'emploi de plus en plus répandu.

▸ J'occupe un poste de commis débutant ou j'occupe un poste de commis junior dans ce bureau.

JURÉ — JURY

Un juré est un citoyen qui fait partie d'un jury à l'occasion d'un procès ou d'un concours.
- L'un des jurés n'était pas d'accord.

Le jury est l'ensemble des jurés dans un procès ou un concours.
- Le jury a rendu un verdict de culpabilité.

JURIDICTION — COMPÉTENCE

Le mot juridiction veut dire pouvoir de juger, de rendre la justice. Il désigne aussi l'étendue de ce pouvoir, de même que le tribunal ou les tribunaux de même catégorie.
- Porter une affaire devant la juridiction compétente.

Juridiction, au sens de compétence, autorité, est un anglicisme.
- L'éducation est un domaine de compétence provinciale (et non de juridiction provinciale).
  Cette institution n'est pas sous l'autorité du gouvernement (et non sous la juridiction du gouvernement).

JUVÉNILE — MINEUR

Juvénile ne peut être qu'un adjectif en français. Il signifie qui se rapporte à la jeunesse.
- Il a retrouvé une ardeur juvénile.
  La délinquance juvénile.

Juvénile employé comme nom pour désigner un jeune, plus précisément un mineur, est un anglicisme.
- La police croit que le crime a été commis par des mineurs (et non par des juvéniles).

K

KIOSQUE — STAND

Un kiosque est un pavillon de jardin. On trouve aussi ce mot dans certaines locutions : un kiosque à journaux ou à fleurs est un petit abri où l'on vend des journaux, des fleurs ; un kiosque à musique est un petit pavillon destiné à recevoir les musiciens d'un concert public en plein air.

▸ Ce kiosque rend notre jardin très romantique.

Les kiosques à musique de nos parcs sont de plus en plus désertés. L'espace réservé à chacun des participants dans une exposition ou dans un salon comme le Salon du livre n'est pas un kiosque, c'est un stand. Un stand est aussi un emplacement aménagé pour le tir à la cible.

▸ On trouve plusieurs centaines de stands (et non de kiosques) au Salon de l'automobile.

Dans les foires, il y a toujours un stand où l'on peut démontrer son habileté au tir.

Il faut dire station de taxis (et non stand de taxis).

Kiosque est un mot d'origine turque devenu français au XVIIe siècle.

Stand est un mot d'origine anglaise devenu français à la fin du XIXe siècle.

L

LARGE — GRAND

Large a beau signifier ample, vaste, c'est un anglicisme au sens de grand dans les mesures de vêtements ou les formats de certains plats.

▸ Une chemise taille grande (et non large).
   Votre pizza, vous la voulez petite ou grande (et non large) ?

LAURÉAT — RÉCIPIENDAIRE

Une personne qui a remporté un prix est un lauréat, mais une personne qui a reçu une décoration ou un diplôme universitaire est un récipiendaire.

▸ Voici les lauréats du concours national de français.
   Il est l'heureux récipiendaire d'une médaille de bravoure.

LAVEUSE — LESSIVEUSE

Comment doit-on appeler l'appareil domestique qui sert à laver le linge ? C'est simplement une machine à laver, mais on peut dire laveuse. En France, on dit lave-linge. On peut oublier le mot lessiveuse, qui désigne un récipient en tôle dans lequel on fait bouillir le linge pour le nettoyer.

▸ J'ai acheté une machine à laver dernier cri.

LÉGAL – JURIDIQUE

Légal signifie qui est conforme à la loi ou qui est imposé par la loi, qui a valeur de loi.

▶ Une transaction légale.
 Des dispositions légales.
 Les formalités légales.

Légal, au sens de juridique, qui relève du droit, est un anglicisme.

▶ Une question juridique (et non une question légale).
 Le service juridique (et non le département légal).

On peut dire service du contentieux si ce service s'occupe d'affaires susceptibles d'être soumises à des tribunaux.

Notez aussi :

• poursuites judiciaires (et non poursuites légales) ;
• cabinet d'avocat ou cabinet juridique (et non étude légale) ;
• expert juriste (et non expert légal) ;
• pratique du droit (et non pratique légale) ;
• secrétaire d'avocat (et non secrétaire légal) ;
• personne morale (et non entité légale) ;
• conseiller juridique (et non aviseur légal).

LÉGISLATION – LÉGISLATURE

La législation, c'est l'ensemble des lois dans un pays, une province ou dans un domaine particulier.

▶ La législation canadienne.
 La législation québécoise.
 La législation civile.
 La législation commerciale.

La législature désigne la durée du mandat pendant laquelle une assemblée législative exerce ses pouvoirs.

▶ Les députés sont déjà en vacances ; la législature a été courte.

LÉGISLATION – LOI

Comme la législation est un ensemble de lois, on ne peut employer ce mot pour désigner une seule loi.

▸ L'Assemblée nationale a adopté une loi (et non une législation) pour améliorer la sécurité sur les routes.

LICE – LISTE

Lice est un vieux mot qui ne s'emploie guère plus que dans l'expression en lice. Celle-ci signifie en compétition, engagé dans une lutte.

▸ Le ministre est entré en lice pour la vaccination contre la méningite. Voici les candidats en lice (et non en liste).
Puis-je consulter la liste des candidats ?

LICENCE – PERMIS

Une licence est une autorisation officielle qui s'applique en général aux activités commerciales et industrielles.

▸ Une licence de vente.
Une licence d'exploitation.

Une autorisation de conduire un véhicule automobile n'est cependant pas une licence, c'est un permis de conduire. Licence, pour plaque d'immatriculation, est également un anglicisme.

▸ À la suite de cette infraction, j'ai perdu mon permis (et non ma licence ou mes licences).
Selon sa plaque (et non selon sa licence), cette voiture vient de l'Ontario.

Notez aussi qu'on doit écrire Vin, bière et spiritueux (et non « Licence complète »).

LIGNE — DOMAINE

Sous l'influence de l'anglais, le mot ligne est souvent employé à mauvais escient, notamment pour parler d'un domaine, d'une branche, d'un rayon ou d'une spécialité.

▸ Dans quel domaine, dans quel secteur travaillez-vous (et non dans quelle ligne travaillez-vous) ?

C'est un as dans sa spécialité (et non dans sa ligne).

Les mathématiques, ce n'est pas mon rayon (et non ce n'est pas ma ligne).

On dira également :

• file d'attente ou queue (et non ligne d'attente) ;
• piquet de grève (et non ligne de piquetage) ;
• tribune téléphonique (et non ligne ouverte) ;
• chaîne de montage (et non ligne d'assemblage).

LIGNE — COLLECTION

Ligne, au sens de collection, type, modèle, série, ensemble, est un anglicisme.

▸ Une collection complète de vêtements (et non une ligne complète de vêtements).

Un nouveau type de jouets (et non une nouvelle ligne de jouets).

Un modèle de robes (et non une ligne de robes).

LIGNES — FRONTIÈRE

Lignes, au pluriel, pour frontière, au singulier, est un anglicisme.

▸ Nous avons traversé la frontière (et non les lignes) sans problème.

LIQUEUR — SODA

Une liqueur est une boisson alcoolisée.

▸ La bénédictine est une liqueur réputée.

Liqueur ou liqueur douce est une impropriété pour soda, boisson gazeuse.

▸ Les adolescents abusent des boissons gazeuses (et non des liqueurs).

LITTÉRAIRE — LITTÉRAL

Littéraire se rapporte à la littérature, tandis que littéral signifie conforme, à la lettre, au texte, qui s'attache au sens strict d'un texte.

▸ Des études littéraires.
   Une traduction littérale.

LITTÉRATURE — DOCUMENTATION

La littérature est un ensemble d'œuvres écrites ou orales. Le mot s'applique également à l'ensemble des ouvrages publiés sur une question.

▸ La littérature française.

Littérature, au sens de documentation, dépliants, prospectus, est un anglicisme.

▸ Pouvez-vous m'envoyer de la documentation (et non de la littérature) sur ce nouveau produit ?

LOCAL — POSTE

Un local est une pièce destinée à un usage particulier. À moins que cet usage ne soit réservé à un groupe de téléphonistes, on ne peut parler de local téléphonique. Dans ce cas, il s'agit d'un poste.

▸ Mon numéro : 372-9555, poste 26 (et non local 26).

LOCALISER — TROUVER

Localiser signifie définir précisément un endroit, circonscrire ou établir en un lieu déterminé.

▸ Localiser la cause d'un malaise.

Localiser un bruit.

Localiser un incendie de forêt.

Localiser un commerce dans une galerie.

Localiser, au sens simple de trouver, est un anglicisme. On peut remplacer trouver par d'autres verbes de sens apparenté.

▸ Le cadavre a été trouvé sur la voie ferrée (et non a été localisé sur la voie ferrée).

J'ai réussi à le dénicher (et non à le localiser).

J'ai découvert un bon endroit pour la pêche (et non j'ai localisé un bon endroit pour la pêche).

LUMIÈRE — FEU

Les signaux qui règlent la circulation aux intersections ont beau être lumineux, ce ne sont pas des lumières. Ce sont des feux de circulation. On ne peut parler de lumière lorsque le but de l'objet n'est pas l'éclairage.

▸ Tournez à gauche au prochain feu (et non à la prochaine lumière).

Tout véhicule doit stopper au feu rouge (et non à la lumière rouge).

LUXURIANT — LUXURIEUX

Luxuriant signifie qui pousse, qui se développe avec une remarquable abondance, en parlant de la végétation. Au sens figuré, luxuriant veut dire exubérant, très riche.

▸ Les forêts tropicales sont luxuriantes.

Une imagination luxuriante.

Luxurieux signifie lascif, lubrique, porté à l'excès, en particulier sur le plan sexuel.

▸ Certains films multiplient les scènes luxurieuses.

M

MALLE – COURRIER

Une malle est un coffre de grandes dimensions où l'on enferme des objets que l'on emporte en voyage. Autrefois, on disait malle-poste pour désigner une voiture des services postaux. C'est toutefois sous l'influence de l'anglais (*mail*) qu'on emploie aujourd'hui le mot malle pour désigner le courrier.

▸ Le courrier est arrivé (et non la malle est arrivée).

Lire son courrier (et non sa malle).

Je suis en train de dépouiller le courrier (et non d'ouvrir la malle).

On dira :

• envoyer une lettre par la poste (et non par la malle) ;

• poster une lettre (et non maller une lettre) ;

• une boîte aux lettres (et non une boîte à malle).

MANUFACTURIER – FABRICANT

Manufacturier est un mot vieilli qui désigne un patron de manufacture, établissement industriel où le travail à la main est prédominant. Manufacturier, au sens général de fabricant, est un anglicisme. Dans le cas des véhicules à moteur, on dira plutôt constructeur.

▸ C'est un important fabricant de meubles (et non un important manufacturier de meubles).

Tu dois renvoyer la facture au fabricant (et non au manufacturier) pour obtenir un remboursement.

Les constructeurs d'automobiles (et non les manufacturiers d'automobiles) s'inquiètent de la tendance du marché.

MARIER — ÉPOUSER

Marier est un verbe transitif qui signifie unir par les liens du mariage. On ne peut donc l'employer au sens de épouser, sinon à la forme pronominale, se marier avec.

▶ C'est le curé de la paroisse qui nous a mariés.

Mon père voulait me marier à un riche homme d'affaires que je n'aimais pas.

Après dix ans de fréquentations, il a fini par l'épouser (et non par la marier).

Julie épouse Jean-Paul (et non marie Jean-Paul).

MARITAL — MATRIMONIAL

Marital veut dire relatif au mari et non au mariage. Matrimonial est le terme à employer en relation avec le mariage.

▶ Les droits du mari sont des droits maritaux.

Il y a divers régimes matrimoniaux (et non maritaux) : communauté, séparation de biens, etc.

Une agence matrimoniale (et non maritale).

On doit dire relations préconjugales plutôt que relations prémaritales.

MATÉRIEL — TISSU

Employé comme nom, le mot matériel désigne un ensemble d'outils ou d'instruments.

▶ Le matériel de camping.

Du matériel de laboratoire.

Matériel, pour tissu, étoffe, est un anglicisme.

▶ J'ai besoin de tissu (et non de matériel) pour confectionner une robe.

Quelle belle étoffe (et non quel beau matériel) !

MATÉRIEL — MATÉRIAU

Bien qu'ils aient la même origine étymologique, les noms matériel et matériau ne sont pas synonymes. Alors que matériel désigne un ensemble d'objets, matériau désigne plutôt une matière servant à construire ; on l'emploie souvent au pluriel : des matériaux.

▸ Le bois est un excellent matériau (et non un excellent matériel).

Il est préférable d'acheter des matériaux de première qualité (et non du matériel de première qualité) pour construire une maison.

MÉDICAL — MÉDICINAL

Médical est un adjectif qui se rapporte à la médecine, tandis que médicinal est un adjectif qui signifie utilisé à titre de médicament, qui a des propriétés thérapeutiques.

▸ Le corps médical.

Une formation médicale.

Des plantes médicinales.

MÉDICATION — MÉDICAMENT

Une médication est l'emploi thérapeutique d'un médicament. On ne doit pas confondre ce terme avec médicament, substance destinée à prévenir ou à guérir une maladie.

▸ Certains médicaments peuvent faire partie d'une médication.

J'ai pris un médicament efficace (et non une médication efficace) pour mon rhume.

MÉDIUM – MOYEN

En français, médium ne peut être qu'un nom. C'est un terme qui désigne l'étendue de la voix ou une personne censée pouvoir communiquer avec les esprits.

▸ Cette chanteuse a un médium remarquable.

J'ai consulté un médium pour connaître mon avenir.

Médium, au sens de moyen, en parlant de la taille d'un vêtement, est un anglicisme. C'est aussi un anglicisme pour désigner un état intermédiaire de cuisson entre saignant et bien cuit ; dans ce cas, on doit dire à point.

▸ Désirez-vous une chemise de taille petite, moyenne (et non médium) ou grande ?

Il est préférable de manger le bœuf haché à point (et non médium) que de le manger saignant.

MÉRITE – BIEN-FONDÉ

Mérite signifie valeur, qualité louable de quelqu'un ou de quelque chose.

▸ Elle a bien du mérite à continuer de vivre avec lui.

Ce sont des gens de mérite.

Mérite, au sens de bien-fondé, même si son sens se rapproche de valeur, est un anglicisme.

▸ Faire valoir le bien-fondé (et non le mérite) d'une cause.

Mérite est aussi un anglicisme dans certaines expressions. On dira ainsi :

• discuter le fond, l'objet d'une proposition (et non le mérite d'une proposition) ;

• juger une proposition sur le fond (et non à son mérite).

MÉRITER — REMPORTER

Pour mériter un prix ou une récompense, il faut en être digne, il faut avoir fait des efforts pour l'obtenir. Ainsi, mériter n'est pas tout à fait synonyme de remporter ou gagner : le gagnant d'un gros lot ne l'a pas forcément mérité.

▸ Ils ont remporté la victoire, ils la méritaient amplement.

Elle a gagné le gros lot, mais elle ne le méritait pas.

Attention ! Si mériter doit être employé avec prudence dans le cas d'un prix ou d'une victoire, se mériter est à proscrire dans le sens de remporter, obtenir ou gagner. En effet, la forme pronominale « se mériter » n'existe pas.

▸ Il a remporté la victoire (et non il s'est mérité la victoire).

Cette chanteuse populaire a gagné un autre prix (et non s'est mérité un autre prix).

MINUTE — PROCÈS-VERBAL

En français, minute peut signifier original d'un acte authentique dont le dépositaire ne peut se dessaisir.

▸ Minute d'un jugement.

Minutes des actes notariés.

Minutes, au pluriel, dans le sens général de procès-verbal d'une séance, est un anglicisme.

▸ Le procès-verbal de l'assemblée (et non les minutes de l'assemblée).

Ce commentaire n'est pas rapporté dans le procès-verbal (et non dans les minutes).

Le registre des procès-verbaux (et non le livre des minutes).

MONÉTAIRE — SALARIAL

Monétaire est un adjectif qui se rapporte à la monnaie ou aux monnaies.

▸ Le marché monétaire.

La masse monétaire.

L'unité monétaire du Canada est le dollar.

Monétaire, au sens de salarial, pécuniaire, financier, est un anglicisme.

▸ Le syndicat a accepté les nouvelles clauses salariales (et non les nouvelles clauses monétaires).

Il a abandonné son projet pour des raisons financières (et non pour des raisons monétaires).

MONTANT — SOMME

Un montant est un nombre auquel s'élève un compte, c'est le total de ce compte.

▸ Quel est le montant de ces dépenses ?

Une somme est le résultat d'une addition, une quantité déterminée d'argent, un ensemble de choses qui s'ajoutent.

▸ La somme de deux et trois est cinq.

Il dépense des sommes folles.

Elle a reçu une grosse somme (et non un gros montant) en guise de dédommagement.

Attention ! La locution « au montant de » est un anglicisme, d'ailleurs superflu.

▸ Vous trouverez ci-joint un chèque de 100 $ (et non un chèque au montant de 100 $).

MUSCULATION — MUSCULATURE

La musculation est un ensemble d'exercices visant à développer les muscles, tandis que la musculature est l'ensemble des muscles du corps humain ou du corps d'un animal.

▸ Grâce à la musculation, il affiche maintenant une musculature très développée.

N

NOMINATION – DÉSIGNATION

La nomination est l'action de désigner une personne à un poste, à une fonction, à un emploi.

▸ La nomination d'un nouveau directeur.

Quand il s'agit d'une mise en candidature à un poste électif, on ne parle pas de nomination, mais de désignation ou encore de choix.

▸ Le mode de désignation des candidats au poste de maire (et non le mode de nomination des candidats au poste de maire) varie selon les partis.

En ce sens, on ne parle pas de mise en nomination, mais de mise en candidature.

NOMINER – SÉLECTIONNER

Nominer est un anglicisme qui signifie sélectionner des personnes ou des œuvres pour une récompense, une distinction. Son emploi en français est critiqué. Il faut lui préférer sélectionner.

▸ L'Académie des arts et sciences du cinéma a sélectionné cinq productions (et non a nominé cinq productions) pour l'oscar du meilleur film de l'année.

De même est-il recommandé de remplacer nominé ou en nomination par sélectionné.

▸ Cette comédienne est sélectionnée (et non nominée) pour un oscar.

NOTABLE — NOTOIRE

Notable en tant qu'adjectif signifie remarquable, digne d'être noté, d'être remarqué, important, distinct.

▸ Des progrès notables.

Notoire signifie public, qui est bien connu ou connu comme tel ; en ce dernier sens, l'adjectif souligne plus souvent un défaut qu'une qualité.

▸ C'est un fait notoire, c'est-à-dire bien connu, attesté.

C'est un bandit notoire, dont la réputation est redoutable.

NOTICE — AVIS

Une notice désigne une note de présentation, un résumé écrit sur un sujet précis.

▸ Dans sa notice, l'éditeur présente brièvement l'auteur.

La notice bibliographique se trouve à la fin du volume.

Je dois consulter la notice de mode d'emploi.

Notice, au sens de avis, est un anglicisme.

▸ Afficher un avis (et non une notice).

Recevoir son avis de congédiement (et non sa notice).

Donner sa démission (et non sa notice) ; sous-entendu, donner son avis de démission.

NOYAU — PÉPIN

On confond parfois noyau et pépin. Ces deux termes désignent les graines des fruits. Quand il n'y a qu'une seule graine, c'est un noyau ; quand il y en a plusieurs, ce sont des pépins.

▸ Les pêches, les avocats, les cerises et les olives ont un noyau.

Les oranges, les pommes et les raisins ont des pépins.

Quand on écrit des fruits sans pépins, pépins prend la marque du pluriel parce qu'il ne peut y avoir qu'un seul pépin.

O

OBJECTER — OPPOSER (S')

Objecter signifie répondre en opposant une objection, répliquer à l'aide d'un argument contraire ou encore contester, contredire. La forme pronominale n'existe pas. S'objecter, c'est tout simplement s'opposer. À la cour, les avocats qui s'opposent à certains propos peuvent dire Objection ! mais pas « Je m'objecte ».

▸ Il a objecté de bons arguments en guise de défense.

Les citoyens se sont opposés au projet d'installation d'une nouvelle usine (et non se sont objectés au projet d'installation d'une nouvelle usine).

Objection, Votre Honneur (et non « Je m'objecte, Votre Honneur ») !

Notez également que avoir objection est une construction fautive. On peut s'opposer à, être en désaccord avec ou refuser, mais pas avoir objection.

OFFENSE — DÉLIT

Une offense est une parole, une insulte, un acte qui blesse quelqu'un.

▸ Je n'ai jamais oublié cette offense.

Offense, au sens de délit, d'infraction, de faute criminelle, est un anglicisme.

▸ Le vol à l'étalage est un délit (et non une offense) passible d'emprisonnement.

OFFICIER — DIRIGEANT

Le nom officier désigne un militaire ou un marin titulaire d'un grade supérieur, le titulaire de certains ordres honorifiques ou, dans le domaine de l'administration publique, le titulaire d'un office.

▶ Dans l'armée, les lieutenants, les capitaines et les généraux sont des officiers.

On l'a nommé officier de l'Ordre du Québec.

On compte des officiers ministériels dans la fonction publique.

Officier, au sens de dirigeant, d'administrateur dans le monde des affaires, est un anglicisme. C'est aussi un anglicisme pour parler des fonctionnaires en général.

▶ Dans cette entreprise, les dirigeants (et non les officiers) sont les membres du bureau de direction.

Les fonctionnaires du ministère du Revenu (et non les officiers du ministère du Revenu) sont tatillons.

Notez aussi :

• le bureau du syndicat (et non les officiers du syndicat) ;
• le directeur du scrutin (et non l'officier rapporteur).

OFFICIER — PRÉSIDER

Le verbe officier signifie célébrer l'office divin.

▶ C'est l'archevêque en personne qui officiait.

Officier à, pour présider, est un anglicisme.

▶ Le ministre présidera notre banquet d'anniversaire (et non officiera à notre banquet d'anniversaire).

On entend aussi, dans le monde du baseball : tel lanceur a officié sept manches au monticule. C'est évidemment un anglicisme, qu'on peut corriger de diverses façons :

- il a résisté sept manches au monticule ;
- il a lancé durant sept manches ;
- il est resté sept manches au monticule.

OISEUX – OISIF
Oiseux signifie inutile, sans intérêt.
▸ Il nous a tenu des propos oiseux.
Oisif signifie désœuvré, qui n'a pas d'occupation, paresseux.
▸ Les personnes oisives s'ennuient.

OMBRAGÉ – OMBRAGEUX
Ombragé signifie couvert, abrité par un ombrage.
▸ Un terrain ombragé.
Ombrageux signifie susceptible, soupçonneux, jaloux, inquiet.
▸ Un caractère ombrageux.

OMBRAGER – OMBRER
Ombrager signifie donner de l'ombre, en parlant des arbres, couvrir de son ombre.
▸ De grands frênes et des érables touffus ombragent notre jardin.
Ombrer signifie dessiner ou peindre des ombres.
▸ Ombrer une illustration aide à la mettre en relief.

OPÉRATION — EXPLOITATION

Une opération est la mise en œuvre de moyens qui vise à tel résultat, une intervention chirurgicale, une transaction commerciale ou un calcul mathématique à l'aide d'une calculatrice.

▸ Cette campagne publicitaire fut une opération très efficace.
 J'ai dû subir une opération pour régler mon mal de dos.
 Les opérations boursières sont parfois risquées.
 L'addition et la soustraction sont des opérations.

Même dans son acception commerciale, opération n'a pas le sens d'une action de mise en valeur en vue d'un profit. Le mot juste est exploitation.

▸ L'exploitation d'un commerce (et non l'opération d'un commerce).
 Budget d'exploitation (et non budget d'opération).
 Frais ou charges d'exploitation (et non frais d'opération).
 Bénéfice d'exploitation (et non revenu d'opération).
 Le directeur de l'exploitation (et non directeur des opérations).

Notez que en opération est aussi un anglicisme au sens de en vigueur, en activité, en service.

▸ Cette loi entrera en vigueur (et non en opération) l'an prochain.
 Cette usine est en activité (et non en opération) depuis l'an dernier.
 Ce circuit n'est plus en service (et non n'est plus en opération).

OPÉRATRICE — TÉLÉPHONISTE

Opératrice est le féminin d'opérateur, personne qui fait fonctionner un appareil, qui manœuvre une machine ou qui effectue des opérations techniques.

▸ Dans le langage cinématographique, opératrice de prises de vues est synonyme de cadreuse.

On voit de plus en plus d'opératrices de machinerie lourde. Opératrice, au sens de téléphoniste, personne chargée d'assurer les transmissions téléphoniques, est un anglicisme.

▸ Le poste de téléphoniste (et non d'opératrice) est en voie de disparition.

OPÉRER — MANŒUVRER

Opérer signifie faire, agir, réaliser, produire un effet ou pratiquer une opération chirurgicale.

▸ Opérer un choix.

Pour y arriver, tu dois opérer de cette manière.

Le chirurgien qui m'a opéré m'a sauvé la vie.

Il est temps d'opérer un changement radical.

Opérer est un anglicisme dans le sens de manœuvrer, conduire, faire fonctionner. On peut cependant employer opérateur pour désigner une personne qui fait fonctionner une machine.

▸ Il faut un excellent opérateur pour manœuvrer cette nouvelle machine (et non opérer cette nouvelle machine).

Opérer est aussi un anglicisme au sens de exploiter, tenir boutique, faire des affaires, être établi.

▸ Exploiter un commerce (et non opérer un commerce).

Cette société exploite plusieurs usines au Québec (et non opère plusieurs usines au Québec).

Ce marchand tient boutique, est ouvert (et non opère) depuis l'an dernier.

Beaucoup de multinationales sont établies à Montréal (et non opèrent à Montréal).

OPPORTUNITÉ — OCCASION

L'opportunité, c'est le caractère opportun, convenable, favorable d'une chose.

▸ L'opportunité de cette décision est indéniable.

Opportunité au sens d'occasion favorable est un anglicisme dont l'emploi est critiqué. On peut le remplacer par occasion.

▸ J'ai eu l'occasion (et non l'opportunité) de faire sa connaissance il y a un an.

OPPORTUNITÉS — POSSIBILITÉS

Opportunités, au pluriel, au sens de possibilités, avantages, est un anglicisme à bannir.

▸ Sur le plan commercial, Montréal offre plusieurs possibilités, plusieurs avantages (et non plusieurs opportunités).

OPPRESSER — OPPRIMER

Oppresser signifie étouffer, au sens figuré comme au sens propre.

▸ Cette bronchite m'oppresse mais l'inquiétude que j'en ressens m'oppresse davantage.

Opprimer signifie persécuter, accabler par une autorité répressive.

▸ Les tyrans oppriment leur peuple.

Notez que le nom qui dérive de ces deux verbes est le même : oppression.

OPTICIEN — OPTOMÉTRISTE

Un opticien est un spécialiste qui fabrique et vend des verres correcteurs, tandis qu'un optométriste est un spécialiste de l'examen de la vue.

▶ C'est généralement après avoir consulté un optométriste qu'on requiert les services d'un opticien.

On ne doit pas confondre opticien ou optométriste avec oculiste, médecin spécialiste des anomalies de la vision, et avec ophtalmologiste, spécialiste des maladies de l'œil.

ORIGINAL — ORIGINEL

Original signifie inédit, premier exemplaire, qui n'imite pas, qui est écrit d'une manière neuve ou bizarre.

▶ Ses idées sont toujours originales.
   Voici le dessin original.
   C'est un type original.

Originel se rapporte plutôt à l'origine.

▶ Le sens originel d'un mot est celui qu'il avait quand on a commencé à l'employer.

P

PAMPHLET – PROSPECTUS

Un pamphlet est un court écrit satirique et violent qui attaque quelqu'un, une institution, certaines idées.

▸ C'est un véritable pamphlet anticlérical que tu as écrit !

Pamphlet, au sens de prospectus, brochure publicitaire, dépliant, est un anglicisme.

▸ Nous recevons des tas de prospectus (et non des tas de pamphlets) par la poste.

Voici un dépliant (et non un pamphlet) qui présente nos services.

Il distribue ses brochures (et non ses pamphlets) dans la rue.

PARADE – DÉFILÉ

On peut employer le mot défilé pour désigner tout mouvement de personnes qui avancent en file ou en rangs. Une parade est un défilé, mais on l'emploie dans des sens précis : défilé militaire, défilé de personnes ou défilé de chars à l'occasion d'une fête.

▸ La parade du père Noël.

La parade de la Saint-Patrick.

Une procession est également un défilé, mais c'est un cortège religieux ou solennel.

▸ Les processions de la Semaine sainte en Espagne.

Enfant, j'aimais beaucoup la procession de la Fête-Dieu.

Parade de mode est un anglicisme pour défilé de mode.

PART — ACTION

Une part est une portion déterminée qui revient à quelqu'un, une partie d'un tout.

▸ Voici ta part de l'héritage.

Part, au sens de action, titre qui représente une fraction d'un capital dans une entreprise, est un anglicisme.

▸ Il a vendu ses actions (et non ses parts).

Faire sa part, au sens de contribuer, collaborer, appuyer, est un anglicisme, mais on peut prendre part à un travail.

▸ Je contribue à améliorer le sort des démunis (et non je fais ma part pour améliorer le sort des démunis).

PARTIAL — PARTIEL

Partial signifie qui prend parti, qui manque d'équité, qui favorise quelqu'un, injuste.

▸ C'est un jugement partial.

Partiel signifie incomplet, qui ne concerne qu'une partie d'un tout.

▸ Ce n'est qu'un inventaire partiel de nos biens.

PARTIR — DÉMARRER

Partir est un verbe intransitif qui signifie quitter un lieu, s'en aller, prendre le départ.

▸ Je pars à quinze heures.

En politique, il faut savoir partir au moment opportun.

Comme partir n'a jamais de complément d'objet, on ne peut partir quelque chose. C'est sous l'influence de l'anglais qu'on emploie partir au sens général de démarrer. On peut remplacer partir par bien d'autres mots, selon le contexte. Noter que faire partir est admissible, au sens de démarrer.

▶ Lancer une rumeur (et non partir une rumeur).
Fonder un journal (et non partir un journal).
Ouvrir un magasin (et non partir un magasin).
Engager une discussion (et non partir une discussion).
S'établir à son compte (et non partir à son compte).
Lancer une mode (et non partir une mode).

PASSE — LAISSEZ-PASSER

Passe est un nom masculin ou féminin. Au masculin, il est synonyme de passe-partout.

▶ Ouvrir la porte avec un passe.

Au féminin, il a plusieurs définitions et on le retrouve dans diverses expressions.

▶ Un beau jeu de passes au hockey.
Une maison de passe est un bordel.
Je traverse une mauvaise passe.
Je suis en passe de réussir.

Passe, au sens de laissez-passer, billet de faveur, carte d'abonnement, est un anglicisme.

▶ Il nous faut un laissez-passer (et non une passe) pour entrer.
J'ai obtenu un billet de faveur (et non une passe) pour ce spectacle.
As-tu acheté ta carte mensuelle (et non ta passe mensuelle) de transport en commun ?

PASSER — ADOPTER

Passer a plusieurs sens, notamment se produire en public, donner et revêtir, mais on ne peut passer un règlement ou une loi. On adopte un règlement, on vote une loi.

▸ Passer à la télévision.

Passe-moi le pain.

Je passe mon manteau et j'arrive.

Nous avons dû adopter des règlements plus sévères (et non passer des règlements plus sévères).

L'Assemblée nationale a voté une nouvelle loi de protection du consommateur (et non passé une nouvelle loi de protection du consommateur).

PATÈRE — PORTEMANTEAU

Une patère est un support fixé à un mur, destiné à accrocher des vêtements, tandis qu'un portemanteau est un support sur pied pour suspendre les vêtements. La distinction réside dans la mobilité de l'instrument. Notez que portemanteau s'écrit en un seul mot.

▸ Une patère prend généralement moins de place qu'un portemanteau, mais on peut suspendre davantage de vêtements à un portemanteau.

PATRONAGE — FAVORITISME

Le patronage n'est pas du tout une pratique condamnable. Au contraire, c'est une pratique louable puisqu'il s'agit d'un appui à une bonne cause. Ce terme est synonyme de parrainage.

▸ Notre campagne de financement de cette année est placée sous le patronage d'un éminent homme d'affaires.

La pratique politique qui consiste à accorder certaines faveurs à des groupes, à des entreprises ou à des citoyens n'est pas le patronage, c'est le favoritisme. Et quand les bénéficiaires des faveurs sont des amis ou des parents des politiciens concernés, on parle de népotisme.

▸ Le favoritisme (et non le patronage) n'obéit pas aux règles de la démocratie.

▸ Le ministre a fait preuve de népotisme (et non de patronage) en attribuant un contrat à son beau-frère.

PAVER — ASPHALTER

Paver signifie recouvrir de pavés, c'est-à-dire de blocs assemblés de dalles, de briques, de cailloux, de pierres, etc. Paver ne signifie donc pas recouvrir d'asphalte ou de bitume ; asphalter ou bitumer sont les verbes exacts.

▸ La place Jacques-Cartier est un bon exemple de revêtement pavé.
J'ai l'intention d'asphalter mon entrée de garage (et non de paver mon entrée de garage).

De même, pavage ne peut désigner qu'une chaussée ou une voie recouverte de pavés. Si le revêtement est fait d'asphalte, on dira simplement et plus justement asphalté.

▸ L'asphalte (et non le pavage) de notre rue est en mauvais état.

Paver la voie à, au sens de ouvrir la voie à, est un anglicisme.

▸ Son sens de la conciliation a ouvert la voie à (et non a pavé la voie à) de fructueuses négociations.

PEINDRE — PEINTURER

Peindre ne signifie pas uniquement représenter artistiquement des êtres, des choses ou réaliser des tableaux, c'est aussi, par exemple, recouvrir un mur de peinture.

▸ Peindre un tableau.

Peindre un appartement.

Peinturer signifie barbouiller, peindre maladroitement, peinturlurer.

▸ Les bons peintres peignent, les mauvais peinturent.

PENSION — RETRAITE

Une pension est une somme d'argent versée régulièrement à une personne.

▸ Je dois verser une pension alimentaire à mon ex-femme.

Mon grand-père recevait une pension de guerre.

La pension n'est donc pas la retraite. On peut recevoir une pension de retraite, mais on ne prend pas sa pension quand on cesse de travailler, on prend sa retraite.

Pour désigner le capital accumulé en vue de la retraite, il est préférable d'employer l'expression caisse de retraite plutôt que fonds de pension. Plan de pension, pour régime de retraite, est un anglicisme.

PESER — PRESSER

Peser peut signifier exercer une pression sur, mais dans le cas d'un bouton, c'est souvent le verbe presser qu'il faut employer. Notez que presser est transitif direct ; on ne dit donc pas presser sur, mais presser quelque chose.

▸ Veuillez presser le bouton (et non peser sur le bouton) pour entrer.

Pour écrire, il suffit de presser les touches du clavier (et non de peser sur les touches du clavier).

PILOTE — VEILLEUSE

Un pilote est une personne qui conduit un avion, une voiture de course ou, employé en apposition, un modèle à titre expérimental.

▸ Un pilote de course.
 Une pilote d'essai.
 Une classe-pilote.
 Un pilote de ligne.

Pilote, pour désigner la petite flamme d'un appareil à gaz ou à mazout qu'on laisse brûler pour permettre l'allumage automatique de l'appareil, est un anglicisme. Le terme juste est veilleuse.

▸ La veilleuse d'un poêle à mazout (et non le pilote d'un poêle à mazout).

Pilote est aussi un anglicisme (*pilot light*) pour désigner le voyant lumineux signalant le fonctionnement et la mise en marche d'un appareil électrique ou d'une machine ; on peut employer les termes lampe témoin, témoin de contrôle ou tout simplement témoin.

▸ Attention ! La lampe témoin (et non le pilote) indique que cet appareil est en marche.

PIMENT — POIVRON

Le piment est une plante dont les fruits servent de condiment. On appelle aussi piment le fruit de cette plante quand il a un goût piquant. On l'appelle poivron quand il est de grande taille et ne procure aucune sensation de brûlure. Piment fort est donc un pléonasme.

▸ Ces piments m'ont brûlé la langue.
 J'aime les poivrons (et non les piments) dans la ratatouille.

PIRE — PIS

Pire et pis peuvent parfois être employés indifféremment. En général, on emploie pire, pis ayant une connotation plus ancienne et plus littéraire. Pire ne peut s'employer après plus et moins. Après tant, on emploie pis.

▸ C'est bien pire.

La situation est pire (et non la situation est plus pire).

C'est moins grave (et non c'est moins pire).

Tant pis !

On ne peut employer pire comme adverbe ; il faut utiliser pis.

▸ Aller de mal en pis (et non de mal en pire).

De pis en pis (et non de pire en pire).

Au pis aller (et non au pire aller).

PLACER — PASSER

Placer signifie mettre dans un lieu déterminé, situer ou faire un placement d'argent.

▸ J'ai placé ce fauteuil dans le salon.

Je place la justice au-dessus de toutes les valeurs.

J'ai l'intention de placer mon argent dans des valeurs sûres.

Placer, au sens de passer (une commande, un appel téléphonique), est un anglicisme.

▸ J'ai passé ma commande il y a quinze jours (et non j'ai placé ma commande il y a quinze jours) et je n'ai rien reçu.

Il faut que je passe un appel immédiatement (et non que je place un appel immédiatement).

PLACEUR — PLACIER

Celui que l'on appelle communément placier dans une salle de spectacle, c'est-à-dire la personne qui guide les spectateurs ou les invités à leur place, est en réalité un placeur. Placier est plutôt un terme de commerce désignant un agent qui sous-loue les places d'un marché public à des marchands ou encore un représentant de commerce, un courtier. Le féminin de placeur n'est pas placeuse ou placière, mais ouvreuse.

▸ Le placeur (et non le placier) nous a indiqué nos sièges.

PLAIDOIRIE — PLAIDOYER

Plaidoirie et plaidoyer ont des sens très rapprochés. Dans les deux cas, il s'agit d'un discours pour défendre une cause, mais plaidoirie est réservé au discours d'un avocat devant la cour, tandis que toute personne peut faire un plaidoyer.

▸ Les plaidoiries se font généralement à la fin des procès.
   Ce militant des droits humains a fait un plaidoyer en faveur de la libération des prisonniers politiques.

Attention à l'orthographe de plaidoirie (pas de e à l'intérieur). Notez aussi que plaidoirie est féminin et plaidoyer, masculin.

PLAN — RÉGIME

Un plan désigne la représentation graphique d'un bâtiment ou d'une machine, la représentation à diverses échelles d'une ville ou d'un réseau de transport, la structure d'un texte ou une suite ordonnée d'actions en vue d'un objectif.

▸ Un plan incliné.
  Les plans d'une maison.
  Le plan du métro.
  Le plan d'une thèse.
  Un plan d'action.

Plan, au sens d'un ensemble de dispositions qui régissent un objet ou un domaine particulier, est un anglicisme.

▸ Un régime d'assurance (et non un plan d'assurance).
  Un régime d'indemnisation (et non un plan d'indemnisation).
  Un régime d'allocations (et non un plan d'allocations).
  Un régime de paiement (et non un plan de paiement).
  Un régime de retraite (et non un plan de pension).

PLASTICINE — PÂTE À MODELER

Plasticine, en français, est réservé au domaine de l'athlétisme. Il s'agit d'une substance que l'on étend devant la planche d'appel dans les disciplines de saut ; on peut ainsi savoir avec certitude si l'athlète a amorcé son saut au-delà de la limite permise.

La substance apparentée avec laquelle les enfants sculptent des objets ou des figurines est de la pâte à modeler. Plasticine est un anglicisme.

▸ Les enfants peuvent développer leur créativité avec de la pâte à modeler (et non avec de la plasticine).

PLUME — STYLO

On ne doit pas confondre plume et stylo. Autrefois, on écrivait avec une véritable plume d'oiseau trempée dans l'encre. Le mot plume en est venu à désigner un petit morceau de métal en forme de bec, qu'on fixait à un porte-plume et qui permettait d'écrire. Entre-temps, on mettait au point un instrument contenant une réserve d'encre pour écrire ou dessiner ; on pouvait munir cet instrument d'une plume en métal ou d'une bille ; c'était le stylographe, qui est devenu le stylo.

▸ Un stylo à bille (et non une plume à bille).

Passe-moi un stylo (et non une plume).

Plume est employé dans certaines expressions, comme prendre la plume, écrire ou vivre de sa plume, gagner sa vie comme écrivain. Plume-fontaine, pour stylo à plume ou stylo plume sans trait d'union, est un anglicisme.

POÊLE — CUISINIÈRE

Au masculin, poêle désigne un appareil de chauffage qui peut aussi servir à cuire des aliments. L'appareil électroménager qui a pour fonction première de cuire des aliments est cependant une cuisinière. L'appareil portable qui a la même fonction s'appelle un réchaud.

▸ Un poêle à combustion lente.

Un poêle à bois au chalet.

Une cuisinière électrique ou à gaz (et non un poêle électrique ou à gaz).

Un réchaud de camping (et non un poêle de camping).

POINÇONNER — POINTER

Poinçonner signifie marquer d'un poinçon (instrument à pointe servant à percer) ou perforer.

▸ Poinçonner un bracelet d'argent.

Poinçonner un billet de train.

Poinçonner, au sens de pointer, c'est-à-dire enregistrer son heure d'entrée et de sortie, est un anglicisme.

▸ Les employés doivent pointer (et non poinçonner) soir et matin.

POLI — VERNIS

Employé comme nom, poli désigne l'aspect d'une chose lisse et brillante.

▸ Le poli d'un plancher.

Poli, au sens de vernis à ongles, cirage à chaussures, est un anglicisme.

▸ Je vais essayer ce nouveau vernis (et non ce nouveau poli) pour mes ongles.

POLICE — POLICIER

La police est l'administration de l'ensemble des mesures ayant pour but d'assurer le respect des lois et le maintien de l'ordre public. Un certain nombre d'employés de cette administration ne sont pas eux-mêmes des polices, ce sont des policiers.

▸ On m'a cambriolé, j'appelle la police.

Ce policier s'est montré très courtois (et non cette police s'est montrée très courtoise).

PORTE — PORTIÈRE

Bien que porte désigne une ouverture spécialement aménagée pour entrer dans un lieu ou en sortir, il est préférable d'employer portière dans le cas d'une voiture.

▶ Il est prudent de verrouiller les portières de sa voiture (et non les portes de sa voiture) quand on la quitte.

PORTEFEUILLE — PORTE-MONNAIE

Un portefeuille est un étui dans lequel on insère des billets de banque et divers papiers. On ne confondra pas cet étui avec un porte-monnaie, étui destiné à recevoir des pièces de monnaie. Notez que portefeuille s'écrit sans trait d'union, tandis que porte-monnaie en prend un. Porte-monnaie est invariable au pluriel : des porte-monnaie.

▶ Il me reste bien deux billets de vingt dollars dans mon portefeuille. Avec les pièces de deux dollars, les porte-monnaie se sont alourdis.

POSITIF — CERTAIN

En français, positif a plusieurs sens : qui accepte, qui a un caractère de réalité objective, qui montre la présence de l'élément ou de l'effet recherché, qui fait preuve de réalisme, qui est bénéfique.

▶ Une réponse positive.
Un fait positif.
Un test positif.
Un esprit positif.
Un résultat positif.

Positif, au sens de certain, convaincu, assuré, est un anglicisme.

▸ Êtes-vous sûr de ce que vous avancez ? Je suis certain, je n'ai aucun doute (et non je suis positif).

Claude est convaincu que son équipe gagnera (et non est positif que son équipe gagnera).

POSITION – EMPLOI

Outre plusieurs sens particuliers, position signifie situation dans l'espace ou manière dont quelque chose est placé, posture.

▸ La position des joueurs de hockey sur la patinoire.

Position verticale ou horizontale.

Position, au sens d'emploi, de poste, est un anglicisme.

▸ Il a perdu son emploi (et non sa position).

J'ai décroché un nouveau poste très avantageux (et non une nouvelle position très avantageuse).

POSITIVEMENT – CATÉGORIQUEMENT

L'adverbe positivement signifie d'une manière certaine, d'une façon heureuse.

▸ J'ai répondu positivement.

La situation évolue positivement, favorablement.

Positivement, au sens de catégoriquement, absolument, rigoureusement, formellement, est un anglicisme.

▸ Le syndicat nous a interdit catégoriquement (et non positivement) de nous présenter au travail.

Il est rigoureusement interdit (et non positivement interdit) d'entrer sans autorisation.

POUVOIR — COURANT

En français, le pouvoir ne saurait désigner l'énergie électrique. On emploiera plutôt courant, ou encore, selon le contexte, puissance, énergie.

▶ Il n'y a pas de courant (et non de pouvoir) ce matin.

Il faudrait mesurer la puissance (et non le pouvoir) que cette machine développe.

Cet équipement consomme beaucoup d'énergie (et non beaucoup de pouvoir).

PRATIQUE — ENTRAÎNEMENT

Employé comme nom, pratique désigne l'application des principes d'un art, d'une science, d'une technique, d'un sport. On peut l'opposer à théorie.

▶ La pratique de la médecine.

La pratique de l'escrime.

Pratique, au sens de entraînement, exercice, répétition, est un anglicisme.

▶ Devenir champion d'échecs requiert beaucoup d'entraînement (et non de pratique).

Nous avons un exercice (et non une pratique) ce matin en vue du match de ce soir.

La mise au point de ce spectacle nécessite plusieurs répétitions (et non plusieurs pratiques).

De même, pratiquer est-il un anglicisme pour s'entraîner, s'exercer ou répéter.

▶ Nous devons nous entraîner sérieusement (et non pratiquer ou nous pratiquer sérieusement) pour affronter l'équipe championne.

J'ai eu beau m'exercer longtemps (et non j'ai eu beau me pratiquer longtemps), je ne suis pas encore arrivé à coordonner mes gestes parfaitement.

J'ai répété (et non j'ai pratiqué) des centaines de fois ce numéro de magie avant de le présenter en public.

PRÉÉMINENCE – PROÉMINENCE

Prééminence signifie supériorité absolue sur les autres, suprématie, primauté.

▸ Les multinationales se disputent la prééminence économique.

Proéminence désigne le caractère de ce qui dépasse, de ce qui fait saillie, de ce qui est en relief par rapport à ce qui l'entoure.

▸ C'est la proéminence de son nez qui fait son charme.

PRÉJUDICE – PRÉJUGÉ

Préjudice signifie atteinte aux droits, tort, dommage causé par autrui, perte d'un bien.

▸ La décision de fermer l'usine a causé un préjudice à tous les travailleurs de la région.

Préjudice, au sens de préjugé, parti pris, est un anglicisme.

▸ Il entretient des préjugés (et non des préjudices) à mon endroit.

PRESCRIPTION – ORDONNANCE

Une prescription est une recommandation thérapeutique en provenance d'un médecin. Le papier sur lequel le médecin inscrit sa prescription est une ordonnance.

▸ La prescription recommande de prendre certains médicaments, de me reposer et de boire beaucoup d'eau.

Je vais présenter mon ordonnance (et non ma prescription) chez un pharmacien.

J'ai perdu mon ordonnance et je ne me souviens plus des détails de la prescription.

PRÉSERVATIF — CONSERVATEUR

Un préservatif est un dispositif en matière souple utilisé comme contraceptif.

▸ Le condom est le préservatif le plus employé.

Le produit chimique ajouté à un aliment pour assurer sa conservation n'est pas un préservatif, c'est un conservateur. Mais comme ce mot a plusieurs autres sens et n'est pas d'un usage courant dans l'alimentation, on peut lui substituer agent de conservation ou agent conservateur.

▸ Les agents de conservation (et non les préservatifs) aident peut-être à conserver les aliments plus longtemps, mais ils en altèrent l'authenticité.

PRESSURER — PRESSURISER

Pressurer signifie tirer de quelqu'un ou de quelque chose tout ce qu'on peut en tirer, ou encore presser des fruits ou des graines pour en extraire un liquide.

▸ Il pressurait son entourage par des manœuvres de chantage.

Pressuriser signifie maintenir à une pression normale un avion ou un véhicule spatial.

▸ Une cabine pressurisée.

PRÊT — EMPRUNT

Le prêt désigne l'action de prêter une chose, ou une somme prêtée. Le prêt désigne aussi un contrat par lequel une somme d'argent est prêtée à certaines conditions. Celui qui reçoit cette somme est l'emprunteur ; il a donc fait un emprunt. Sous l'influence de l'anglais, qui n'a qu'un seul mot *(loan)* pour désigner le prêt et l'emprunt, on emploie erronément le mot emprunt au lieu de prêt.

▸ La banque m'a fait un prêt, mais pour le rembourser, je devrai peut-être contracter un emprunt (et non un prêt) ailleurs.

PRIVÉ – PARTICULIER

L'adjectif privé signifie strictement personnel, intime, réservé, ou encore qui ne dépend pas directement de l'État.

▸ Respectez ma vie privée, je vous en prie.

Propriété privée, défense d'entrer.

C'est un club privé, réservé aux membres.

Le secteur privé est souvent plus efficace que le secteur public.

Privé, dans le sens de particulier et dans celui de retiré, isolé, est un anglicisme.

▸ Elle suit des cours particuliers (et non des cours privés).

Monsieur le ministre a son secrétaire particulier (et non son secrétaire privé).

C'est un endroit très isolé (et non très privé).

PROBATION (EN) – À L'ESSAI

Probation est une période pendant laquelle un ex-prisonnier est soumis à des mesures de contrôle.

▸ Cet ex-prisonnier est en période de probation.

Un employé ne peut donc être en probation, il est à l'essai ou en stage.

▸ Notre fille vient d'être engagée dans cette grande société. Actuellement, elle est à l'essai (et non en probation).

PROCÉDURE – PROCÉDÉ

Une procédure est une manière de procéder en justice ou un ensemble de règles qu'il convient d'observer pour obtenir un résultat.

▸ Engager une procédure dans un litige.

La procédure de remboursement est un vrai labyrinthe.

Procédure, au sens de procédé, méthode, est un anglicisme.

▸ Quel est le procédé de fabrication (et non quelle est la procédure de fabrication) ?

PRODIGE — PRODIGUE

Un prodige est une personne extraordinaire par ses talents. On peut employer ce mot comme nom ou adjectif.

▸ Mozart était un prodige musical dès son enfance. Il était donc un enfant prodige.

Prodigue signifie qui dépense à l'excès ou qui se montre très généreux. On peut aussi employer ce terme comme nom ou adjectif.

▸ L'histoire du fils prodigue dans la Bible.

Ce flatteur est prodigue de compliments.

PROGRAMME — ÉMISSION

Dans le monde du spectacle et des communications, un programme est un ensemble de productions. Programme désigne aussi l'énumération des éléments d'un spectacle, d'un événement, ou le document qui présente ces éléments.

▸ Le programme du Festival des films du monde est intéressant.

Quel est le programme de la soirée ?

Passe-moi le programme.

Programme, pour émission, production transmise par la télévision ou la radio, est un anglicisme.

▸ Je ne voudrais pas rater cette émission (et non ce programme) pour tout l'or du monde.

Félicitations pour votre émission (et non pour votre programme) !

Q

QUALIFICATION — COMPÉTENCE

Qualification signifie manière de qualifier, attribution d'une valeur, d'un titre ou, dans le domaine sportif, fait de satisfaire aux conditions requises pour être admis à une épreuve. On parle aussi de qualification professionnelle pour désigner la formation et les aptitudes d'un ouvrier qualifié.

▸ La qualification d'un comportement.
   Comme il a terminé au huitième rang, il a raté sa qualification pour la finale.

Qualifications, au pluriel, au sens de compétence, est un anglicisme. Notez qu'on emploie compétence au singulier.

▸ Je crois que vous n'avez pas la compétence requise (et non les qualifications requises).

QUESTIONNER — CONTESTER

Questionner signifie poser des questions à et exige un complément direct qui est une personne.

▸ Le professeur questionne l'élève.
   Questionner un accusé.

On ne peut questionner quelque chose. Questionner est alors un anglicisme qui prend le sens de contester, mettre en doute, remettre en question.

▸ Je conteste, je mets en doute ce résultat (et non je questionne ce résultat).
   Il faut remettre en question notre hypothèse de départ (et non questionner notre hypothèse de départ).

QUITTER — PARTIR

Quitter est un verbe transitif, il exige donc un complément direct. La seule exception s'applique à la locution « Ne quittez pas », pour demander de patienter en attendant un interlocuteur au téléphone.

▶ Ne me quitte pas.

Elle a quitté le bureau à midi (et non elle a quitté à midi).

On peut faire l'économie du complément direct en remplaçant quitter par partir, qui est toujours intransitif. On peut aussi employer sortir.

▶ Elle est partie, elle est sortie (et non elle a quitté).

R

RABATTRE — REBATTRE

La confusion entre les deux mots se produit le plus souvent dans l'expression rebattre les oreilles. On pourrait rabattre les oreilles de quelqu'un, mais cela signifie qu'il faudrait les empoigner pour les plier dans un sens ou dans l'autre, ce qui pourrait être douloureux. C'est plutôt rebattre les oreilles qu'il faut dire pour signifier répéter souvent.

▸ Cessez de me rebattre les oreilles si vous ne voulez pas que je vous rabatte le caquet.

RAPPELER (SE) — SOUVENIR (SE)

Voici deux verbes à la forme pronominale qui veulent dire la même chose, mais il y a un piège. Se souvenir se construit avec la préposition de, tandis que se rappeler commande la plupart du temps un complément direct.

▸ Te souviens-tu de cet incident ? Oui, je me le rappelle (et non je m'en rappelle).

Je me souviens de cette journée, je me la rappellerai longtemps.
Notez qu'à l'impératif, il faut dire : souviens-t'en (et non souviens-toi-z-en).

RAPPORTER — SIGNALER

Parmi les nombreux sens qu'il a, le verbe rapporter signifie faire le récit de ce que l'on a vu et entendu, mais ce sens ne s'étend pas à porter à la connaissance d'une autorité. Rapporter est alors un anglicisme qu'on peut remplacer par signaler, dénoncer, déclarer.

▸ Elle m'a fidèlement rapporté ce qui s'est passé.

J'ai été témoin d'un vol ; il faut que je signale ce crime à la police (et non que je rapporte ce crime à la police).

Je dois déclarer le vol de ma voiture à mon assureur (et non rapporter le vol de ma voiture à mon assureur).

RAPPORTER (SE) — PRÉSENTER (SE)

Se rapporter signifie avoir rapport.

▸ Ces règles se rapportent à la grammaire.

Se rapporter, au sens de se présenter, est un anglicisme.

▸ Présentez-vous immédiatement au contremaître (et non rapportez-vous immédiatement au contremaître).

Bien qu'il ait signé un contrat avec cette équipe, il n'a pas l'intention de se présenter aux séances d'entraînement (et non de se rapporter aux séances d'entraînement).

Notez qu'on ne dit pas se rapporter malade : on se porte malade.

RECHAPÉ — RÉCHAPPÉ

Rechapé est le participe passé du verbe rechaper, remettre un pneu usagé en bon état. Notez que rechaper ne prend qu'un p et qu'il n'y a pas d'accent sur le premier e.

▸ Rouler avec des pneus rechapés est plus risqué qu'avec des pneus neufs.

Réchapper avec un accent aigu sur le premier e et deux p signifie se tirer indemne de quelque chose.

▸ J'ai finalement réchappé de cette vilaine grippe.

RECORD — DOSSIER

Un record est un exploit sportif qui dépasse ce qui a été fait auparavant dans le même genre ou encore un sommet jamais atteint au sens figuré.

▶ Le champion olympique a battu le record du 400 mètres.

Le déficit a atteint un niveau record.

Si on veut parler d'un ensemble de pièces relatives à une affaire ou à une personne, on ne peut employer le mot record. On parle alors de dossier. S'il s'agit d'un dossier judiciaire, on emploiera plutôt casier. S'il s'agit de comptabilité ou de présence, on utilisera registre. S'il s'agit de santé, on aura recours à fiche.

▶ J'ai consulté son dossier (et non son record) pour en savoir plus long à son sujet.

Ce récidiviste a un casier (et non un record).

Le registre de présences (et non le record de présences) atteste que vous n'étiez pas là.

Voyons ce que mentionne votre fiche de santé (et non votre record).

Records, au pluriel, est également un anglicisme au sens de archives.

RECOUVRER — RECOUVRIR

Recouvrer signifie regagner, rentrer en possession de ce qu'on avait perdu, retrouver, ou encore recevoir une somme due.

▶ Recouvrer la santé.

Recouvrer une créance.

Recouvrir signifie couvrir de nouveau, refaire à neuf.

▶ Recouvrir un meuble.

Recouvrir un livre.

Recouvrir un mur de papier peint.

Recouvrir un enfant qui s'est découvert durant son sommeil.

RÉFÉRER — RENVOYER

En français, référer ne peut être qu'un verbe pronominal (se référer à) ou qu'un verbe transitif indirect avec en : (en référer à). Se référer à signifie consulter quelqu'un ou se rapporter à quelque chose. En référer à signifie faire rapport, en appeler à quelqu'un pour qu'il décide.

▸ Je me réfère à vous pour avoir votre opinion.

Je me réfère au dictionnaire pour vérifier le sens exact des mots.

J'en référerai à mon supérieur.

Référer est un anglicisme qui a le sens général de renvoyer. On peut employer d'autres verbes, selon le contexte.

▸ Cette note renvoie à ce dossier (et non réfère à ce dossier).

Je vous renvoie à ce livre (et non je vous réfère à ce livre).

Ce commentaire se rapporte à ce que vous disiez (et non réfère à ce que vous disiez).

Mon médecin m'a envoyé à un spécialiste (et non m'a référé à un spécialiste).

J'ai confié cette affaire (et non référé cette affaire) à mon avocat.

Veuillez vous reporter à ma lettre du 10 février (et non référer à ma lettre du 10 février).

Cette lettre se réfère à un incident survenu le mois dernier (et non réfère à un incident survenu le mois dernier).

J'ai transmis ce document à mon adjoint (et non j'ai référé ce document à mon adjoint).

REGARDER — ANNONCER (S')

Regarder est un verbe qui peut être transitif direct ou indirect ou encore pronominal, mais pas intransitif.

▸ Je la regarde avec admiration.

Je dois regarder ce dossier de plus près.

Ils m'ont toujours regardé comme leur fils.

Cette affaire ne vous regarde pas.

Nous ne regardons pas à la dépense.

Nous nous sommes regardés intensément.

Regarder, employé comme verbe intransitif, est un anglicisme au sens de s'annoncer, sembler, avoir l'air.

▸ Ça s'annonce mal (et non ça regarde mal).

RÉGULIER — ORDINAIRE

En français, régulier a surtout trait au temps ; il signifie à intervalles égaux, avec régularité. Il évoque aussi une idée d'uniformité, de symétrie. Régulier signifie également conforme aux règles.

▸ Il frappait sur son tambour à intervalles réguliers.

Elle a des traits réguliers.

À la boxe, les coups réguliers sont les coups permis.

Régulier peut se rapporter à des personnes pour signifier assidu, constant, respectueux des usages et des règles d'un milieu ou encore soumis à la règle d'un ordre religieux.

▸ Il est régulier dans ses habitudes.

Tu peux te fier à lui, il est régulier.

Régulier, au sens de ordinaire, courant, est un anglicisme. Selon le contexte, on peut le remplacer par d'autres mots.

▸ De l'essence ordinaire (et non régulière).

Un format ordinaire, courant, standard (et non régulier).

Le conseil tient une séance ordinaire (et non régulière).

Prix courant (et non régulier).

Personnel permanent (et non régulier).

Horaire normal (et non régulier).

Les moyens d'enquête habituels (et non réguliers) n'ont donné aucun résultat.

RÉHABILITATION — RÉADAPTATION

En français, la réhabilitation est le rétablissement d'une personne dans ses droits, l'aide à la réinsertion sociale d'un individu, le fait de restituer ou de regagner la considération perdue.

▸ La réhabilitation s'impose après une faillite personnelle.

La réhabilitation des criminels n'est pas chose facile.

En anglais, réhabilitation a le sens plus large de réadaptation, rééducation sur le plan physique. C'est donc un anglicisme que d'employer réhabilitation dans ce sens-là. On retiendra que, en français, la réhabilitation est d'ordre moral, tandis que la réadaptation est d'ordre physique.

▸ Après son accident, il a dû subir plusieurs traitements de réadaptation (et non de réhabilitation).

Il a entrepris la rééducation de son bras à demi paralysé (et non la réhabilitation de son bras à demi paralysé).

REJOINDRE — JOINDRE

Rejoindre signifie se joindre de nouveau à un groupe, aller retrouver une personne ou regagner un lieu.

▸ Partez tout de suite, j'irai vous rejoindre dans une heure.

Cette route rejoint l'autoroute dans deux kilomètres.

Rejoindre est une impropriété pour joindre, au sens de entrer en communication avec quelqu'un.

▸ J'ai vainement tenté de le joindre (et non de le rejoindre) par téléphone.

Pour nous joindre, téléphonez au 523-1182.

REMORQUE — DÉPANNEUSE

Une remorque est un véhicule sans moteur, remorqué par un autre.

▸ Prendre en remorque une voiture.

Ce n'est donc pas une remorque que l'on fait venir pour dépanner une voiture, c'est une dépanneuse. Notez que la dépanneuse peut remorquer la voiture, c'est-à-dire la tirer parce qu'elle ne fonctionne plus. Le mot remorqueuse n'existe pas.

▸ Comme ma voiture est en panne, j'ai besoin d'une dépanneuse (et non d'une remorque ni d'une remorqueuse).

RENCONTRER — SATISFAIRE

Employé comme verbe transitif, rencontrer veut dire se trouver en présence de quelqu'un ou de quelque chose, par hasard ou volontairement.

▸ Le jour où je t'ai rencontrée.

Rencontrer un obstacle.

Sous l'influence de l'anglais *(to meet)*, rencontrer est employé abusivement avec plusieurs compléments, notamment dans le sens de satisfaire, avec ou sans la préposition à.

▸ Satisfaire des besoins (et non rencontrer des besoins).

Satisfaire à des exigences (et non rencontrer des exigences).

Notez aussi :

• tenir, respecter ou remplir ses engagements (et non rencontrer ses engagements) ;

• faire ses paiements (et non rencontrer ses paiements) ;

• faire face à des dépenses (et non rencontrer des dépenses) ;

• respecter une échéance (et non rencontrer une échéance) ;

• confirmer les prévisions (et non rencontrer les prévisions) ;

• être conforme aux vues (et non rencontrer les vues) ;

• souscrire aux conditions (et non rencontrer les conditions) ;

• atteindre des objectifs (et non rencontrer des objectifs).

On trouve aussi un autre anglicisme dans le sens de présenter quelqu'un.

▸ Je vous présente ma femme (et non rencontrez ma femme).

RENTRER — ENTRER

Rentrer signifie mettre à l'intérieur ou, employé comme verbe intransitif, entrer de nouveau quelque part, revenir à son lieu habituel ou être compris dans.

▸ Rentrer sa voiture au garage.

Ils sont sortis puis ils sont rentrés.

Après six mois à l'étranger, j'ai hâte de rentrer chez moi.

Ces objets ne rentrent pas tous dans cette caisse.

Entrer signifie pénétrer, introduire.

▸ Entrez donc (et non rentrez donc), on vous attendait.

J'ai horreur de voir la seringue entrer (et non rentrer) dans ma chair.

RENVERSER — CASSER

Renverser signifie mettre à l'envers, inverser, faire tomber à la renverse, jeter à terre quelqu'un.

▸ Renverser les termes d'une proposition.

Renverser son verre.

Une voiture a renversé l'enfant.

Une cour ne peut cependant renverser un jugement, mais elle peut le casser, l'annuler.

REPLACER — REMETTRE

Replacer signifie remettre quelque chose à sa place ou situer quelque chose dans telles circonstances.

▶ Replacer des livres dans la bibliothèque.

Replacer un événement dans son contexte.

Replacer, au sens de remettre, reconnaître, est un anglicisme.

▶ Sa tête me dit quelque chose, mais je ne le *remets* pas (et non je ne le *replace* pas).

RÉQUISITION — COMMANDE

Une réquisition est une requête en langage juridique ou un ordre militaire, administratif, exigeant d'une personne ou d'une collectivité soit une prestation d'activité soit la remise de biens.

▶ La partie civile a déposé une réquisition à l'audience.

En temps de guerre, les réquisitions sont douloureuses.

Réquisition, au sens de commande, demande d'achat, est un anglicisme.

▶ Dans l'administration publique, les *commandes* (et non les *réquisitions*) doivent passer par le service des approvisionnements.

RETOUR — RENDEMENT

Retour signifie le fait pour quelqu'un de revenir vers l'endroit d'où il est venu, le point de départ.

▶ Je serai de retour vers midi.

Retour, au sens de rendement, dans le domaine financier, est un anglicisme.

▶ Le *rendement* de nos investissements (et non le *retour* sur nos investissements) est excellent.

Retour à l'école, pour rentrée scolaire, est un anglicisme.

RETRACER — RETROUVER

Retracer signifie tracer de nouveau ou autrement, exposer, raconter, relater, rappeler.

▸ Retracer un dessin effacé.

Attendez que je retrace certains faits.

Retracer, au sens de retrouver, découvrir, dépister, est un anglicisme.

▸ Nous avons réussi à retrouver ce document (et non à retracer ce document).

La police a découvert le coupable (et non a retracé le coupable).

RONDE — TOUR

Une ronde est une tournée de surveillance effectuée par des policiers ou des gardiens, une danse, une chanson ou une note musicale.

▸ Le gardien de nuit effectue plusieurs rondes au cours de son quart de travail.

Les enfants aiment bien danser des rondes.

Une ronde vaut deux blanches ou quatre noires.

Ronde, pour désigner la partie d'un tout dans certaines expressions, est un anglicisme. On peut remplacer ronde par tour mais, selon le contexte, d'autres mots sont préférables.

▸ Un choix de premier tour (et non de première ronde) à la sélection des joueurs amateurs par les équipes professionnelles.

Notre équipe n'a pas réussi à franchir le deuxième tour (et non la deuxième ronde) des séries éliminatoires.

J'ai disputé un très bon premier parcours (et non une très bonne première ronde) au tournoi de golf annuel de mon club.

Il a fallu plusieurs séances de négociations (et non plusieurs rondes de négociations) pour parvenir à une entente.

Tu as gagné la première manche (et non la première ronde), mais j'aurai ma revanche.

À la boxe, les parties d'un combat sont des rounds (et non des rondes).

ROUE — VOLANT

Une roue est une pièce de forme circulaire qui, en tournant autour d'un axe, est utilisée pour permettre à un véhicule de se déplacer.

▸ Les roues avant d'une voiture.

Roue, au sens de volant, dispositif qui assure la direction d'un véhicule, est un anglicisme.

▸ Je tiens toujours mon volant (et non ma roue) à deux mains pour éviter toute perte de contrôle.

ROYAUTÉ — REDEVANCE

La royauté désigne la dignité de roi ou un régime monarchique.

▸ Le prince de Galles aspire à la royauté.

La royauté est un régime de gouvernement dans plusieurs pays.

Royauté ou royautés au pluriel, au sens de redevance, taxe ou rente qui doit être acquittée à termes fixes, est un anglicisme. Même si les dictionnaires acceptent l'anglicisme royalties, il est préférable d'employer redevance au singulier ou au pluriel selon le contexte. Quand une redevance est due en vertu de la propriété d'une œuvre littéraire ou artistique, on doit employer la locution droits d'auteur, droits au pluriel.

▸ Les concessionnaires doivent payer des redevances (et non des royautés ou des royalties) pour exploiter leur commerce.

Les droits d'auteur (et non les royautés) comptent pour peu dans le prix d'un livre.

S

SABLER — SABRER

Sabler le champagne, c'est boire du champagne à l'occasion d'une fête, d'un anniversaire. On entend parfois sabrer le champagne. La confusion s'explique par le fait que sabrer le champagne signifiait autrefois ouvrir une bouteille de champagne à l'aide d'un sabre. Comme, de nos jours, personne ne procède ainsi, il vaut mieux s'en tenir à sabler le champagne.

▶ Lors du lancement du livre, nous avons sablé le champagne.

SACOCHE — SAC À MAIN

Une sacoche est un gros sac de toile ou de cuir muni d'une courroie.

▶ Une sacoche de facteur, de cycliste, de livreur.

Sacoche est une impropriété pour sac à main, accessoire féminin destiné à transporter de l'argent, des papiers, des articles de toilette.

▶ Je crois que j'ai oublié mon sac à main (et non ma sacoche) au magasin.

Il ne faut pas confondre non plus sacoche avec bourse (voir ce mot).

SANCTUAIRE — RÉSERVE

Un sanctuaire est une partie d'une église, un édifice religieux ou un lieu saint.

▶ Autrefois, le sanctuaire des églises était réservé au clergé et aux enfants de chœur.

La Mecque est un véritable sanctuaire pour les musulmans.

Sanctuaire ne peut donc s'appliquer à la faune. On parle alors de refuge, de réserve zoologique.

▸ Les réserves d'oiseaux (et non les sanctuaires d'oiseaux) sont les meilleurs lieux pour observer la faune ailée.

SAUVER — ÉPARGNER

Sauver signifie tirer quelqu'un de la mort, du danger, préserver de la destruction de quelque chose.

▸ On l'a décoré pour avoir sauvé un enfant de la noyade.

En restaurant cette vieille maison, nous la sauverons du pic des démolisseurs.

C'est la vedette qui sauve le film, au demeurant très ordinaire.

Sauver, au sens de épargner, économiser ou encore au sens de sauve-garder en informatique, est un anglicisme.

▸ Courir les soldes permet d'épargner beaucoup d'argent (et non de sauver beaucoup d'argent).

Toutes les dix minutes, j'enregistre mon fichier (et non je sauve mon fichier), puis je le sauvegarde sur une disquette.

Notez qu'on gagne du temps, on n'en sauve pas.

▸ Prendre ce raccourci va me faire gagner du temps (et non sauver du temps).

SAVEUR — PARFUM

La saveur est une qualité particulière, une sensation perçue par l'organe du goût.

▸ Des mets fades sont des plats sans saveur.

Saveur est une impropriété au sens de parfum, dans le cas d'un produit aromatisé.

▸ Au dessert, on nous a offert des glaces de plusieurs **parfums** (et non de plusieurs saveurs).

SCIENTISTE — SCIENTIFIQUE

Un scientiste est un partisan du scientisme, tendance philosophique de la fin du XIXe siècle reposant sur le recours généralisé aux sciences de la nature et aux mathématiques. Scientiste, au sens de scientifique, savant spécialiste, est un anglicisme.

▸ De nos jours, les scientifiques de plusieurs disciplines (et non les scientistes de plusieurs disciplines) doivent faire équipe pour obtenir des résultats.

SECONDER — APPUYER

Seconder signifie aider quelqu'un, l'assister, l'épauler.

▸ Le président est bien secondé par son équipe.
Claude me seconde très efficacement.

Dans les réunions où l'on prend des décisions, les règles exigent souvent qu'une proposition, pour être mise aux voix, soit appuyée par un des membres de l'assemblée. On dit bien appuyée (et non secondée), qui est alors un anglicisme.

▸ J'appuie la proposition du président (et non je seconde la proposition du président).

SERVIR — DONNER

Employé en tant que transitif direct, servir se rapporte à des personnes. Il signifie s'acquitter de certains devoirs ou donner à manger.

▸ Servir un client.
Servir les convives.

On ne peut donc servir un avertissement. Servir, au sens de donner, est alors un anglicisme.

▸ Donner un avertissement (et non servir un avertissement).

SET — SERVICE

Le mot set est français quand il signifie manche d'un match de tennis, de tennis de table, de volley-ball.

▸ Il a gagné le match en trois sets.

Certains dictionnaires acceptent set pour désigner un ensemble de napperons. Le plus souvent, on peut remplacer set par service ou ensemble mais, dans certains cas, on utilisera des termes plus spéci-fiques.

▸ Un service de vaisselle (et non un set de vaisselle).
  Un service de table (et non un set de table).
  Un mobilier de chambre, de cuisine, de salon (et non un set de chambre, de cuisine, de salon).
  Une batterie de cuisine (et non un set de casseroles).
  Un jeu d'outils (et non un set d'outils).
  Un trousseau de clés (et non un set de clés).
  Une série d'échantillons (et non un set d'échantillons).

SIGNALER — COMPOSER

On ne peut signaler un numéro de téléphone, on le compose ou on fait un numéro précis.

▸ Il n'y a pas de service au numéro que vous avez composé (et non que vous avez signalé).
  Faites le 0 (et non signalez le 0).

SIGNALER — SIGNALISER

Signaler signifie, entre autres, annoncer, faire remarquer ou faire connaître en attirant l'attention.

▶ J'aimerais vous signaler un point important.

Signaliser signifie munir d'une signalisation, de signaux. Les signaux de route, feux, panneaux, poteaux indicateurs et bornes lignes constituent la signalisation routière.

▶ Signaliser la nouvelle autoroute à l'aide de panneaux de signalisation.
Une erreur de signalisation a causé l'accident.

SITE — EMPLACEMENT

En français, site a divers sens plus restrictifs qu'en anglais. Site signifie ainsi beau paysage, panorama, lieu géographique ; dans le domaine de l'informatique, serveur d'informations ou point de connexion au réseau Internet.

▶ Le site est superbe.
On fait des fouilles dans ce site archéologique.
Il y a un site industriel dans cette ville.
Notre site Internet est maintenant accessible.

Site, au sens plus général d'emplacement, de lieu, est un anglicisme.

▶ Quelle ville sera choisie comme lieu, comme hôte des prochains Jeux du Québec (et non comme site des prochains Jeux du Québec) ?
Les secours sont arrivés trop tard sur les lieux de l'accident (et non sur le site de l'accident).

SOMPTUAIRES — SOMPTUEUX

Somptuaires, au pluriel, se rapporte à des dépenses à caractère luxueux ou excessives, tandis que somptueux signifie magnifique, splendide, dont la somptuosité suppose une dépense importante.

▸ Cette résidence somptueuse a certainement nécessité des dépenses somptuaires.

SOUBASSEMENT — SOUS-SOL

Soubassement signifie partie inférieure d'une construction sur laquelle porte l'édifice.

▸ Le soubassement repose sur les fondations.

Soubassement, au sens de sous–sol, partie d'une construction aménagée au-dessous du rez-de-chaussée, est un anglicisme.

▸ J'ai installé mon cinéma maison au sous–sol (et non au soubassement).

SOUMETTRE — PRÉSENTER

Soumettre, c'est ranger sous son autorité, imposer des règles ou proposer au jugement de quelqu'un, d'un groupe.

▸ L'armée a soumis les rebelles.

   Les revenus sont soumis à l'impôt.

   Je vous soumets ce projet pour obtenir votre approbation.

Quand on présente quelque chose à quelqu'un sans chercher à obtenir son accord ou son avis, on ne peut employer soumettre, car c'est un anglicisme.

▸ Nous avons présenté un mémoire au gouvernement (et non soumis un mémoire au gouvernement).

SOUMETTRE — PRÉTENDRE

« Soumettre que » est une faute de construction héritée de l'anglais. On peut employer prétendre que, alléguer que.

▸ Je prétends (et non je soumets) qu'il n'avait pas tort d'agir ainsi.

SPÉCIAL — RABAIS

Spécial ne s'emploie que comme adjectif en français. Quand on l'emploie comme nom, c'est un anglicisme qu'on remplacera, selon le contexte, par rabais, réclame, promotion, solde, occasion.

▸ Les rabais de la semaine (et non les spéciaux de la semaine) sont toujours avantageux.
Rabais surprise (et non spécial non annoncé).
Les biscuits X sont en réclame ou en promotion (et non en spécial) cette semaine.
Le plat du jour ou le menu du jour (et non le spécial du jour).
Livraison, envoi par exprès (et non livraison spéciale).

SPÉCULATION — CONJECTURE

La spéculation est une opération consistant à acheter et à revendre des biens en vue d'un gain d'argent.

▸ La spéculation dans l'immobilier fait monter les prix.
Spéculations, au pluriel, au sens de conjectures, hypothèses, prédictions, est un anglicisme.

▸ Les conjectures, les prédictions (et non les spéculations) vont bon train au sujet de l'avenir du premier ministre.

STAGE — STADE

Un stage est une période d'études pratiques ou de formation dans un service d'une entreprise.

▸ Un étudiant en administration est venu faire un stage à notre bureau de comptabilité.

Un stade est un lieu aménagé pour des compétitions sportives, mais ce mot désigne aussi une période, une étape, un degré de développement. En anglais, stage a aussi ce dernier sens, ce qui cause la confusion avec stade en français.

▸ J'en suis rendu au stade (et non au stage) où je dois partir.

   À ce stade-ci (et non à ce stage-ci), il faut prendre une décision.

STANDARD — NIVEAU

En français, standard employé comme nom signifie modèle, norme ou encore lieu où aboutissent les fils d'un service téléphonique.

▸ Il faut se conformer au standard adopté par la Régie des services publics.

   Il y a de moins en moins de téléphonistes qui travaillent au standard.

Standard, au sens de niveau, degré, est un anglicisme.

▸ Je vise à un haut niveau, à un haut degré (et non à un haut standard) d'excellence.

STATION — GARE

Une station est un lieu où s'arrêtent les véhicules de transport en commun, une façon de se tenir ou un ensemble d'installations.

▸ Une station de métro.

   Il n'est pas facile de rester en station debout plus d'une heure.

   Dans notre localité, il y a une station météorologique, une station de radio et une station de ski.

Station, au sens de gare, bâtiment et installations ferroviaires où se font l'embarquement et le débarquement des voyageurs, le chargement et le déchargement des marchandises, est un anglicisme.

▸ Le train va bientôt entrer en gare (et non arriver à la station).

Notez qu'on doit dire poste d'essence ou station libre-service ou station-service (et non station de gaz).

SUITE — BUREAU

Une suite peut désigner un local, mais c'est un terme réservé au domaine hôtelier. Suite est donc une impropriété pour bureau, dans un immeuble.

▸ Nous avons réservé une suite à l'hôtel Central.

Venez me retrouver à mon travail, au bureau 404 (et non à la suite 404).

SUPPORT — CINTRE

L'objet en forme d'épaules muni d'un crochet sur lequel on suspend des vêtements est un cintre et non un support.

▸ J'ai mis mon manteau sur un cintre (et non sur un support).

SUPPORT — SOUTIEN

Même si support évoque l'action d'aider ou de soutenir, il est préférable d'employer soutien. On utilisera support surtout pour désigner quelque chose qui supporte physiquement. Support s'emploie également au figuré dans divers sens.

▸ J'ai besoin de votre soutien (et non de votre support).

Les fondations servent de support aux murs.

Le disque rigide est un support magnétique en informatique.

Les grandes sociétés utilisent les médias comme supports publicitaires.

SUPPORTER — APPUYER

Supporter veut dire soutenir sur le plan physique ou endurer.

▸ Les fondations supportent l'immeuble.

Je ne peux plus le supporter.

Supporter, au sens de appuyer, soutenir quelqu'un, est un anglicisme.

▸ Nous avons refusé d'appuyer ce candidat (et non de supporter ce candidat).

On ne supporte pas un projet, on le finance. Et supporter au sens de procurer ce qui est nécessaire à des gens doit être remplacé par subvenir aux besoins de.

SUPPOSÉ — CENSÉ

Supposé est un adjectif qui signifie hypothétique, présumé. Supposé que est une locution conjonctive qui veut dire dans l'hypothèse où. Supposé que se construit avec un subjonctif.

▸ Les auteurs supposés de ce canular ont fait rire d'eux.

Supposé que je ne vienne pas, que se passera-t-il ?

Supposé suivi d'un infinitif, au sens de censé, qui doit faire quelque chose, est un anglicisme.

▸ Tu n'étais pas censé faire ça (et non tu n'étais pas supposé faire ça).

Je suis censé y aller (et non je suis supposé y aller).

SURINTENDANT — CONCIERGE

Surintendant est un vieux mot français qui n'est presque plus employé. Il désignait un officier chargé de la haute surveillance d'une administration. C'est un anglicisme au sens de concierge, gérant d'immeuble.

▸ La plomberie est défectueuse dans mon appartement, je dois appeler le concierge (et non le surintendant).

SYLLABUS — SOMMAIRE

Syllabus a un sens particulier en français : c'est une liste de propositions en provenance des autorités ecclésiastiques. Il ne saurait donc désigner un sommaire ou un plan de cours. Syllabus est alors un anglicisme.

▸ Pour savoir si je vais m'inscrire, je vais consulter le sommaire ou le plan de cours (et non le syllabus).

SYMPATHIES — CONDOLÉANCES

Sympathies s'emploie rarement au pluriel. Employé au sens de condoléances, c'est un anglicisme.

▸ Je vous offre mes condoléances (et non mes sympathies).

On peut cependant dire : Vous avez toute ma sympathie.

SYMPATHIQUE — FAVORABLE

Sympathique signifie aimable, bienveillant en parlant d'une personne, agréable, plaisant en parlant d'une chose.

▸ Elle est vraiment très sympathique ou elle est très sympa.
  C'est sympathique comme ambiance.

Sympathique, au sens de favorable, compatissant, est un anglicisme.

▸ Il n'est pas très favorable à mon projet (et non pas très sympathique à mon projet).
  Elle s'est montrée compatissante à l'égard de mon malheur (et non sympathique à l'égard de mon malheur).

SYSTÈME — ORGANISME

Un système est un ensemble ordonné d'éléments qui assurent une fonction.

▸ Le système vasculaire.

Un système de détection.

Système, au sens d'organisme humain, est un anglicisme. On l'emploie aussi erronément pour désigner une chaîne stéréo.

▸ Ce médicament est bon pour l'organisme (et non pour le système).

Mon organisme est tout à l'envers (et non mon système est tout à l'envers).

Je me suis acheté une nouvelle chaîne stéréo (et non un système de son).

Notez : Il me tape sur les nerfs (et non il me tombe sur le système).

T

TABLETTE — BLOC-NOTES

Une tablette est une planche disposée horizontalement pour recevoir des papiers ou des livres, ou encore une préparation alimentaire plate.

▸ Il me faudrait d'autres tablettes pour ma bibliothèque.

Une tablette de chocolat.

Tablette, pour bloc-notes ou bloc, ensemble de feuilles de papier détachables sur lesquelles on écrit, est un anglicisme (*writing tablet*).

▸ J'ai toujours un bloc (et non une tablette) à portée de la main pour prendre des notes.

TAPIS — MOQUETTE

Un tapis est une pièce textile dont on couvre le sol ou, par similitude, tout tissu qui recouvre une surface.

▸ Les tapis orientaux sont des œuvres d'art.

Ce tapis de table est joli.

Quand un tapis recouvre la totalité du sol d'une pièce, on l'appelle moquette. Tapis mur à mur est un anglicisme.

▸ Il y a de la moquette (et non du tapis mur à mur) partout dans cette maison.

TEMPÉRATURE — TEMPS

La température est la mesure de la chaleur et du froid. Température est donc une impropriété pour désigner le temps qu'il fait.

▶ L'hiver, la température descend ; l'été, elle monte.

Le temps, c'est l'ensemble des conditions atmosphériques.

▶ On a du beau temps (et non de la belle température) cet été.

TERME — MANDAT

Terme a plusieurs sens, notamment durée, période.

▶ Le terme de ce contrat est de cinq ans.

Terme, pour désigner le mandat d'une personne élue dans l'administration publique, est un anglicisme.

▶ Le maire achève son mandat (et non son terme).

TERMES — CONDITIONS

Termes au pluriel se retrouve dans certaines locutions comme aux termes de, qui veut dire selon. Mais on ne peut employer termes au sens de conditions s'appliquant à un accord, un contrat, un marché, une opération commerciale. Conditions est le terme juste ou, selon le contexte, modalités.

▶ Selon les conditions du contrat (et non les termes du contrat), vous n'aviez pas le droit d'agir ainsi.

▶ Voici les modalités de cette transaction (et non les termes de cette transaction).

THÈME — INDICATIF

Le mot thème signifie motif, sujet, idée sur laquelle porte une réflexion.

▸ Quel sera le thème de votre discours ?

Thème ne saurait s'appliquer à une pièce musicale qui annonce une émission de télévision ou de radio. Dans ce cas, il s'agit d'un indicatif musical ou tout simplement d'un indicatif.

▸ Il arrive à fredonner les indicatifs (et non les thèmes) de plusieurs téléromans.

TICKET — CONTRAVENTION

Même s'il a fait un détour par l'anglais, ticket, que l'on prononce *tikè* est un mot parfaitement français qui dérive de estiquet, signifiant *billet de logement*. Un ticket est un billet, ordinairement un rectangle de carton, donnant droit à l'admission dans un véhicule de transport public ou dans un établissement, ou encore attestant un paiement.

▸ Un ticket de métro.

Un ticket de bagages.

Ticket, au sens de contravention, infraction ou document qui fait état d'une infraction, est un anglicisme.

▸ La police m'a remis une contravention (et non un ticket) parce que je roulais au-delà de la vitesse permise.

Je refuse de payer cette contravention (et non ce ticket).

TOILE — STORE

Une toile est un tissu ou une pièce servant à une œuvre peinte.

▸ Un pantalon en toile de coton.

Les toiles de Riopelle.

Toile est une impropriété pour store, rideau de toile qui s'enroule ou se replie.

▸ Baisse le store (et non la toile), il y a trop de soleil.

TOILETTE — TOILETTES

Toilette désigne l'ensemble des soins de propreté du corps, l'action de nettoyer quelque chose ou un ensemble de vêtements et de parures féminines.

▸ J'ai fait ma toilette, je suis prêt à sortir.

La ville a fait la toilette de ses monuments.

Elle porte une nouvelle toilette.

Au pluriel, toilettes désigne un cabinet d'aisances.

▸ Il faut que j'aille aux toilettes (et non à la toilette).

Notez que papier–toilette et papier de toilette sont des synonymes de papier hygiénique, terme recommandé.

TOMBE — CERCUEIL

Une tombe est un lieu, une fosse où l'on ensevelit un mort, tandis qu'un cercueil est une caisse dans laquelle on enferme un mort pour l'exposer ou l'ensevelir.

▸ On l'a exposé dans un magnifique cercueil en bronze (et non dans une magnifique tombe en bronze).

Le moment le plus pénible survient quand on descend le cercueil dans la tombe.

On ne confondra pas non plus tombe et tombeau. Le tombeau est un monument imposant construit sur une tombe.

TOUER — REMORQUER

Touer signifie tirer un bateau derrière soi ; ce verbe ne s'applique qu'aux navires et autres embarcations. Pour tout autre véhicule, on emploiera le verbe remorquer, à condition qu'il s'agisse bien d'un remorquage, c'est-à-dire d'une traction exercée sur un véhicule à l'aide d'un autre. Ordinairement, c'est une dépanneuse (et non une remorqueuse) qui remorque une voiture.

▸ Comme mon voilier s'était enlisé, il a fallu le touer.

Ma voiture est en panne, la dépanneuse devra la remorquer (et non la touer) jusqu'au garage.

TRAITE — TOURNÉE

Traite désigne l'action de traire ; c'est aussi un mode de commerce apparenté au troc ou exploitant une catégorie de population.

▸ L'heure de la traite des vaches.

La traite des fourrures au XVIIe siècle.

La traite des Noirs, la traite des Blanches.

Traite, pour tournée dans des expressions comme « C'est ma traite » ou « Payer la traite », est un anglicisme.

▸ C'est moi qui paye, c'est ma tournée (et non c'est ma traite).

TRANSFERT — CORRESPONDANCE

Transfert a plusieurs sens, en voici les principaux. Un transfert est un déplacement de personnes, de choses ou l'action de transmettre un droit. C'est aussi un terme de psychologie qui désigne un phénomène par lequel un état affectif éprouvé pour un objet est étendu à un objet différent.

▸ Les transferts de populations causent beaucoup de misère humaine.

Les transferts de capitaux profitent aux multinationales.

Il a reporté sa passion du jeu sur son travail ; c'est un transfert.

Transfert ne peut s'appliquer à un billet de correspondance dans le domaine des transports publics. Il faut dire simplement correspondance.

▸ Cette correspondance (et non ce transfert) me permet de parcourir toute la ville sans frais supplémentaires.

TRANSFERT — MUTATION

Même si transfert désigne parfois un déplacement de personnes, ce terme ne saurait s'appliquer à l'affectation d'une personne à un autre poste. Dans ce cas, il s'agit d'une mutation.

▸ Il a demandé sa mutation (et non son transfert) à Toronto. De fait, il sera muté (et non transféré) le mois prochain.

TRANSIGER — TRAITER

Transiger, c'est faire des concessions réciproques de manière à régler un différend ou encore se prêter à des accommodements.

▸ Nous avons dû transiger ferme pour parvenir à nous mettre d'accord. Elle ne transige jamais sur cette question.

Même si transiger est de la même famille que transaction, un terme parfaitement français en matière commerciale, c'est un anglicisme au sens de faire des affaires, traiter une affaire, négocier. Dans ce cas, on peut employer simplement traiter.

▸ Nous avons traité (et non transigé) avec cet entrepreneur pour nos travaux de rénovation.

TRANSIGER (SE) — ÉCHANGER (S')

Dans le domaine financier ou boursier, on ne peut dire que des valeurs se transigent à tel ou tel montant. Elles cotent, s'échangent ou se négocient.

▸ Hier, les actions de Ford s'échangeaient à 8 $ (et non se transigeaient à 8 $) ; aujourd'hui elles cotent à 10 $ et probablement que demain elles se négocieront encore plus haut.

Dans ce sens, la forme pronominale n'existe pas.

TRANSLUCIDE — TRANSPARENT

Translucide signifie qui laisse passer la lumière sans permettre de distinguer la couleur ou la forme des objets.

▸ Ce déshabillé translucide a tout pour séduire.

Quand on peut voir les objets, c'est transparent ; c'est la qualité de ce qui se laisse traverser par la lumière.

▸ Ce verre est parfaitement transparent.

TRAVERSE — PASSAGE À NIVEAU

Traverse désigne une pièce perpendiculaire qu'on met en travers d'une construction pour en maintenir les éléments. Au Québec, dans le domaine du transport maritime, c'est un lieu de passage où l'on exploite un service de traversier.

▸ Les traverses d'une fenêtre.

La traverse de Rivière-du-Loup.

Dans le domaine ferroviaire, traverse désigne les poutres qu'on trouve sous les rails et qui en maintiennent l'écartement. Traverse ne s'applique cependant pas au lieu de croisement d'une route et d'une voie ferrée ; dans ce cas, il s'agit d'un passage à niveau.

▸ En marchant sur la voie, j'ai compté les traverses.

J'arrête toujours aux passages à niveau (et non aux traverses), même quand je n'aperçois aucun train.

TRIMER — TAILLER

Trimer, c'est travailler dur, c'est faire des efforts. On ne peut trimer quoi que ce soit, car trimer est un verbe intransitif.

▸ J'ai trimé pour bâtir cette cabane.

Quand on veut dire couper une matière pour lui donner une forme déterminée, tailler est le verbe qui s'impose.

▸ J'ai taillé ma barbe en pointe (et non trimé ma barbe en pointe).

Tailler un arbuste (et non trimer un arbuste).

TROUBLE — ENNUI

Un trouble est une émotion, une agitation confuse, une perturbation ou encore une anomalie de fonctionnement. Troubles, au pluriel, signifie agitation sociale.

▶ Quand j'entends sa voix, un trouble m'envahit.

Il sème le trouble dans sa famille.

Des troubles ont éclaté en Indonésie.

Trouble, au sens d'ennui, de souci, de difficulté ou de peine, est un anglicisme.

▶ L'ennui avec toi (et non le trouble avec toi), c'est que tu n'es jamais d'accord.

Les enfants me causent des soucis (et non du trouble).

Voilà un dollar pour votre peine (et non pour votre trouble).

Veuillez noter :

• avoir des ennuis (et non être dans le trouble ou avoir du trouble) ;
• faire des histoires, causer des embêtements (et non causer, faire du trouble) ;
• se donner du mal (et non se donner du trouble).

TUILE — CARREAU

En français, tuile désigne une plaque de terre cuite ou d'autres matières servant à couvrir les toits.

▶ Dans le sud de la France, on trouve beaucoup de jolis toits de tuiles.

Mais il n'y a pas de tuiles dans nos maisons. Ce qu'on prend pour des tuiles, sous l'influence de l'anglais (*tiles*), ce sont en réalité des carreaux.

▶ Dans la salle de bains, les murs sont en carreaux de faïence (et non en tuiles de faïence).

Au sous-sol, le plafond est revêtu de carreaux d'insonorisation (et non de tuiles acoustiques).

Nous avons remplacé le linoléum de la cuisine par des carreaux de plastique (et non par des tuiles de plastique).

TUNNEL — VIADUC

Un tunnel est une galerie souterraine de bonne longueur donnant passage à une voie de communication.

▸ Le tunnel Louis-Hippolyte-La Fontaine.

Le tunnel sous la Manche.

Un viaduc est un ouvrage routier ou ferroviaire surmontant un obstacle qui peut être une autre voie de communication à bonne hauteur.

▸ À Montréal, on compte de nombreux viaducs qui assurent le passage des trains.

U

USAGÉ — USÉ

Usagé signifie qui a perdu l'aspect du neuf, mais qui est encore en bon état. Usagé est toutefois un anglicisme quand on l'applique à une marchandise qui n'est pas vendue ou achetée neuve ; dans ce cas, il s'agit d'une marchandise d'occasion.

▸ Ces vêtements sont usagés, mais ils me vont très bien.

Je vais acheter une voiture d'occasion (et non une voiture usagée). Usé veut dire qui a subi certains dommages, commun, démodé ou encore affaibli.

▸ Ces vieilles chaussures usées sont bonnes à jeter.

Son discours usé, on l'a assez entendu.

Le travail finit par user son homme.

V

VACANCE — VACANCES

Une vacance, au singulier, c'est l'état d'un poste momentanément sans titulaire.

▶ Il y a une vacance à la direction générale.

On ne peut employer vacance au singulier pour désigner une période de congé. Dans ce cas, vacances est toujours au pluriel.

▶ Avez-vous eu de belles vacances (et non une belle vacance) ?

VALISE — COFFRE

L'espace réservé au rangement des bagages dans une voiture est un coffre et non une valise.

▶ Le coffre de ma nouvelle voiture est spacieux (et non la valise de ma nouvelle voiture est spacieuse).

Une valise est un bagage à main.

▶ Les valises sont de plus en plus souples.

VÉNÉNEUX — VENIMEUX

Vénéneux signifie qui contient un poison.

▶ Il n'est pas facile de distinguer les champignons vénéneux des champignons comestibles.

Venimeux s'applique plutôt aux animaux qui sécrètent une substance toxique.

▶ Certains serpents venimeux peuvent tuer un homme.

VENTE — SOLDE

Une vente, c'est l'action de vendre quelque chose, le fait d'échanger une marchandise contre son prix.

▶ Dans les magasins, toutes les marchandises sont en vente.

Vente, au sens de solde, rabais, est un anglicisme. Solde est masculin dans ce sens ; il s'emploie aussi au féminin pour désigner la paie d'un militaire : une solde.

▶ Grand solde du printemps (et non grande vente du printemps).
J'ai acheté ce manteau en solde (et non en vente).
Ces articles sont en solde (et non en vente).
Un solde, c'est une vente à rabais.

VERSATILE — POLYVALENT

Versatile est un adjectif dont le sens, en français, est péjoratif ; il s'applique à des personnes instables, capricieuses, imprévisibles, inconstantes, lunatiques.

▶ On ne sait jamais comment il va réagir ; il est vraiment versatile.

Quand on veut parler d'une personne aux talents variés, flexible ou qui s'adapte bien à toute situation, on emploiera l'adjectif polyvalent ou, pour utiliser un terme plus recherché, éclectique. Pour désigner une chose aux usages multiples, on emploiera l'adjectif universel.

▶ C'est un joueur polyvalent (et non versatile), il peut jouer à toutes les positions.
L'aspirine est un remède universel (et non versatile).

VOÛTE — CHAMBRE FORTE

Une voûte est un ouvrage de maçonnerie cintré qui a la forme d'un arc, d'une courbe.

▸ L'architecture gothique comprend différents styles de voûte.

La voûte céleste.

Voûte, pour désigner une pièce blindée où se trouvent les coffres-forts dans une banque, est un anglicisme. Cette pièce est une chambre forte.

▸ Toutes les banques ont une chambre forte (et non une voûte).

Ne confondez pas chambre forte avec coffre-fort ou coffre, armoire métallique destinée à recevoir de l'argent et des valeurs.

▸ De plus en plus, les chambres d'hôtel sont munies d'un coffre à l'usage des clients.

DU MÊME AUTEUR

Améliorez votre français, Montréal, Les Éditions de l'Homme, 1970, 201 p.

Les Verbes, Montréal, Les Éditions de l'Homme, 1971, 207 p.

Corrigeons nos anglicismes, Montréal, Les Éditions de l'Homme, 1975, 203 p.

Notre français et ses pièges, Montréal, Les Éditions de l'Homme, 1978, 217 p.

L'expression orale, Éditions Études Vivantes, 1979, 2 tomes.

J'améliore mon français, Éditions VIFI, 1982.

« Le rythme dans les discours du Général de Gaulle », in *l'Herne*, Paris, 1973.

L'orthographe en un clin d'œil, Montréal, Les Éditions de l'Homme, 1990, 288 p.

Ma Grammaire, avec Roland Jacob, Boucherville, Les Éditions françaises, 1994, 434 p. Réédition, Montréal, Les Éditions de l'Homme, 1998.

INDEX GÉNÉRAL

INDEX DES ANGLICISMES

Cet ouvrage a été achevé d'imprimer
au Canada en juillet 2001.